JN101102

やってはいけない勉強法

石井貴士

Kizuna Pocket Edition

きずな出版

はじめに――

正しい勉強法を学ぶ前に、「やってはいけない勉強法」を学んでおく

「親指を描きたいなら、親指を描こうとしてはいけません。親指を描くなら、親指のまわりの空間を描きなさい」（ベティ・エドワーズ）

という有名な言葉があります。

勉強法についても、同じことが言えます。

「いきなり正しい勉強法を知ろうとしてはいけません。正しい勉強法を知りたいのであれば、やってはいけない勉強法を知って **"やってはいけない勉強法をやらないよう**

にしなさい〟」と。

多くの人は「どの勉強法が正しいのだろうか」と、たった1つの正解を求めて、いろいろな勉強法を試しています。

ですが、勉強法について詳しくなればなるほど、「勉強法は人それぞれだ。だから、これだけが正しいという勉強法なんて存在しないんだ」という、もっともらしい結論を導き出してしまいます。

違います。

勉強法には正解があります。

正しい勉強法で勉強をすれば革命的に成績が上がりますが、間違った勉強法で勉強をしても、非効率な状態のままなので、成績はなかなか上がりません。

正しい勉強法を知るために、必要なこと。

それは「最初に、やってはいけない勉強法を知ること」です。**やってはいけない勉強法をしなければ、それだけで自然に効率的な勉強ができるようになるのです。**

やってはいけない勉強法を知ることで、正しい勉強法がわかる

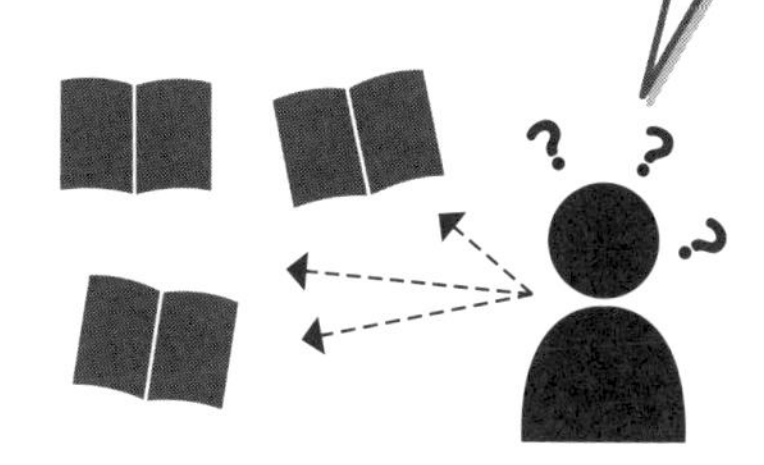

間違った勉強法をしなければ
正しい勉強法が学べる!

勉強をするまえに、勉強法をマスターしておく

「もし8時間、木を切る時間を与えられたら、そのうち6時間を、私は斧(おの)を研(と)ぐのに使うだろう」（エイブラハム・リンカーン）

という言葉があります。

多くの人は「勉強しなければ」と言って、いきなり参考書を開いたりして、勉強を始めています。それが、典型的な間違った勉強のやり方です。

① まず正しい勉強法をマスターする

② 勉強する

このツーステップで、最速で成績は上がります。

たとえば東京から北海道に行こうとしたときに、

① どうやって行くのが、一番安くて早いのかを調べる
② チケットを取って、北海道まで行く

というのが一番いい方法です。

「何も考えずに、北海道の方角へ向かって歩き出す」という人はいません。

にもかかわらず、勉強に関しては、多くの人が「いきなり問題集を解く」「いきなり教科書を開く」ということからスタートしています。

だから、成績が上がらないのです。

勉強法をマスターせずにいきなり勉強を始めるのは、東京から北海道に行こうとして、いきなり歩き出す人と何ら変わらないということに、気づく必要があります。

正しい勉強法を知ってから勉強を始めることこそ、最速で成績を上げるための正しい順番なのです。

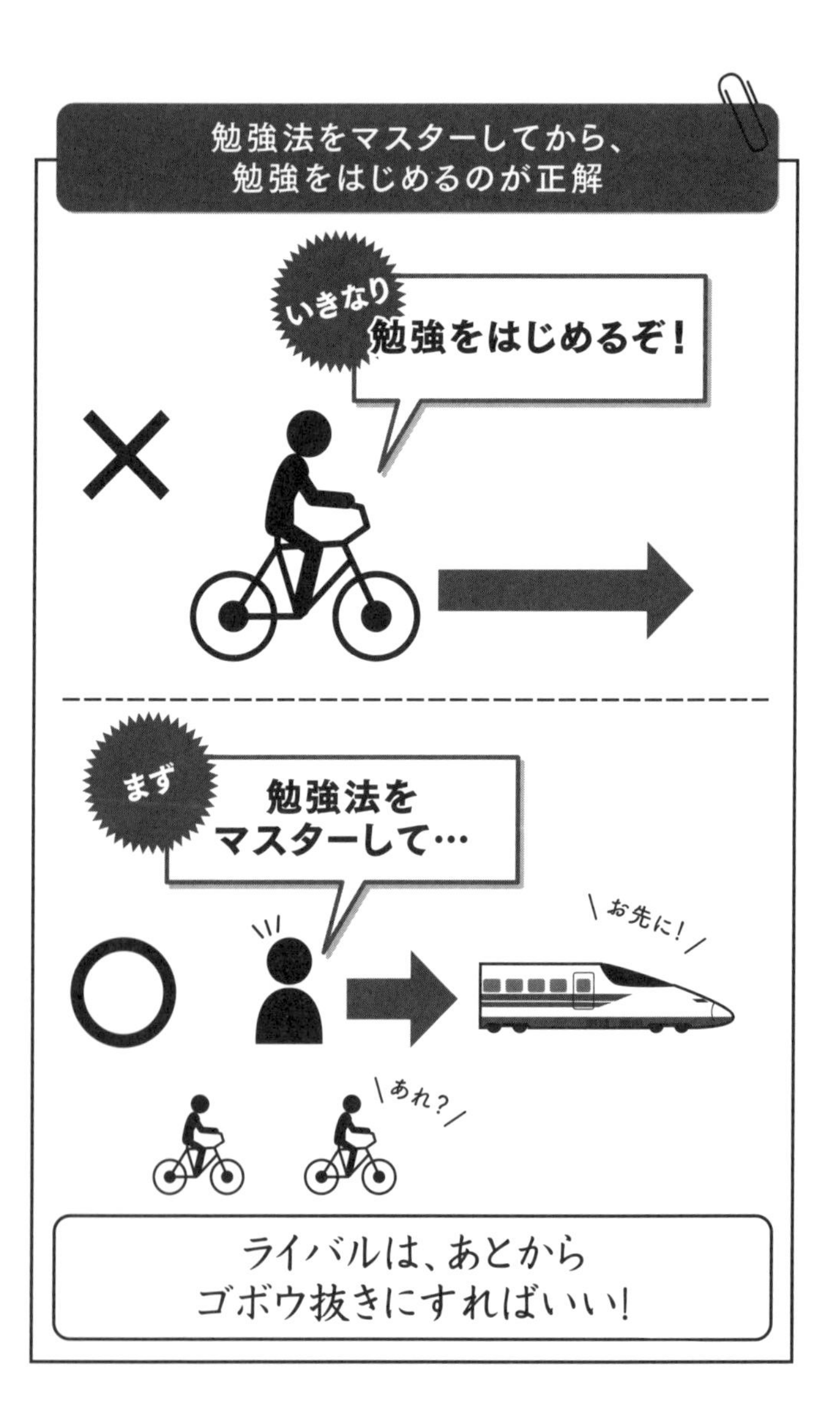
勉強法をマスターしてから、
勉強をはじめるのが正解
いきなり
勉強をはじめるぞ！
まず
勉強法を
マスターして…
お先に！
あれ？
ライバルは、あとから
ゴボウ抜きにすればいい！

天才と同じやり方をすれば、天才と同じ結果が出る

「努力が大切だ。努力をすれば天才になれるんだ」と、多くの人が当たり前のように考えています。

違います。

いまのあなたのまま努力をしても「努力をしたあなた」が手に入るだけであって、「天才のあなた」は手に入りません。

言い方は悪いことは承知で、あえてわかっていただくために、いつも私はこう言っています。

「バカのまま努力をしても、結局はバカのままである」と。

小・中学校のときを思い出してください。

「この人は、頭が悪いな」という友人は、いくら努力をしても成績が上がらなかったのではないでしょうか。

一方で「この人は天才だな」という友人は、たいした努力もせずに成績は上位だったはずです。

とはいえ「頭のよさは生まれつきなんだ。もともと頭がよくない私には、どうしようもないんだ」と、生まれつきの頭の違いのせいにしていては進歩がありません。

そうではなく「頭のいい人は、どういう勉強法をしているんだろう。頭のいい人の勉強法を研究して、同じやり方をすれば同じ結果が出るはずだ」と考えるのが、健全な考え方です。

間違った勉強法のまま、いくら勉強をしても、天才に追いつくことはできません。

天才と同じ勉強法をすれば、あなたも天才と同じ結果が出るというだけなのです。

天才と同じ方法で勉強すれば、あなたも天才になれる

凡人のまま努力する

すごい凡人になるだけ

天才と同じやり方をする

天才と同じ結果が出る

天才と同じやり方で、
天才と同じ結果を手に入れよう！

いまの自分を捨てて、新しい自分に生まれ変わる人が成功する

多くの人は、いまの自分を変えようとしません。
「いまの自分のまま、どうすれば成功できるのか」と考え、努力を重ねています。
たとえて言うなら、一生懸命自転車を漕ぎながら「どうすればもっと早く自転車を漕げるだろうか」と悩んでいるようなものです。

天才が、自転車を漕ぐあなたの横を、新幹線に乗って一瞬で通り過ぎていっても、自分のやり方を変えようとしない人ばかりです。

あなたが取るべき方法は簡単です。
自転車を降りて、新幹線に乗ればいいのです。

ですが「これだけ自転車のトレーニングをしてきたわけだし……」と、自転車にこだわっている人がどれだけ多いことでしょうか。

勉強法に関しても同じことが言えます。

間違った勉強法をして「あとちょっとがんばれば結果が出るはずだ」と、1つの勉強法にこだわっている方がとても多いのです。

より優れた勉強法があるのであれば、すぐに乗り換えたほうがいいはずです。

いまのあなたのまま、どれだけ努力をしても「いまのあなたのまま」です。

そうではなく、いまのあなたを捨てて、新しい自分に生まれ変わることを選択しましょう。

天才と同じように考え、天才と同じように行動すれば、あなたも天才と同じ結果が手に入る。ただそれだけのことなのです。

努力して天才になるのではなく、天才になってから努力せよ

勉強ができるようになるためには、次のツーステップが最短です。

① 最初に、天才になってしまう

② 努力する

こちらです。

しかし多くの人が、

① 頭が悪い自分のまま、変わろうとしない

② 努力する

ということをしています。

最初にあなたがすべきことは、天才になるために、すべての時間と労力を使うということです。

そして天才になったあとに初めて、努力をするのです。

そうすれば、天才と同じ結果が得られます。

いきなり勉強を始めて「さあ、今日も全力を尽くすぞ」というのは、あきらかに間違った方法論です。

「天才になるために全力を尽くす。勉強は天才になってから始める」

これが、あなたが最速で成績を上げるための行動としては、ベストなのです。

勉強法の最終奥義「瞬間記憶」をマスターする

最初に正解を言ってしまいます。

勉強法について突き詰めて考えていくと、最後にどこに行き着くかというファイナルアンサーをお話しします。

勉強法のゴールは「瞬間記憶」ができるようになることです。

瞬間記憶とは、文字通り「瞬間」で「記憶」すること。これが最終奥義です。

高校1年生のときに、教科書をパラパラとめくっただけで「覚えた！」と言って、日本史・世界史で満点を取った友人がいました。

それを見て「さすが天才だ。生まれつきの天才って、こういう人のことを言うんだなあ。自分とは違う」と感心していた人が、ほとんどでした。

そんななか、私が考えたことはまったく別のことでした。

「天才だから瞬間記憶ができるのではない。瞬間記憶ができれば私も同じように天才になれるんだ」と閃(ひらめ)いたのです。

「私は生まれつき、頭が悪いから、勉強は無理だ」とあきらめていた方も多いでしょう。では「瞬間記憶」ができたとしても、あなたの成績は悪いままでしょうか。

おそらく違うはずです。

パラパラと教科書をめくっただけで頭に情報が入ってくるようになれば、あなたも天才になれるはずです。

自転車を降りて、新幹線に乗る。

いまのあなたの勉強法を捨て、天才と同じ勉強法に切り替える。

勉強法を突き詰めていって、最終的に「瞬間記憶」をマスターすれば、あなたの成績は、うなぎ上りになるのです。

最初に、3カ月かけて「瞬間記憶」をマスターする

いきなり 勉強をはじめるぞ！

がっくし…

努力しても…

成績が上がらない

3カ月間は
ガマンガマン

俺って天才！？

やったー！
100点

先に「瞬間記憶」を
マスターしてしまえば…

成績が急上昇！

「瞬間記憶」こそ、勉強法の奥義だ！

1単語1秒で、目で見て覚える訓練から始める

私は高校1年のときに「瞬間記憶」をマスターすることこそ、勉強法の最終奥義だということを悟りました。

しかし「では、どうしたら瞬間記憶をマスターできるのか」ということに関しては、わからないままでした。

天才の友人に尋(たず)ねても「小学校の頃から一度見たものは忘れないしなあ。なんでこういうことができるかは説明できない」と言われて、途方に暮れていました。

そして高校2年生の春に、私の人生を変える英語の先生と出会えたのです。

その先生はこう言いました。

「このなかで英単語を書いて覚えている人、手を挙げてください。はい、ほとんどですね。では英単語を目で見て覚えている人、手を挙げてください。はい、誰

もいませんね。

では英単語を1単語1秒で、目で見て覚える訓練を3ヵ月以上したことがある人、手を挙げてください。誰もいませんね。

なぜ訓練をしたこともないのに、最初から無理だと決めつけているのですか?」

その話を聞いて、ハンマーで頭を殴られたような衝撃を受けました。

ほとんどの人は瞬間記憶をマスターするために、3ヵ月間を費やしていない。

だから天才になれずに凡人のまま努力をしている。

ならば私は勉強を始める前に3ヵ月間、瞬間記憶をマスターする(1単語1秒で、目で見て覚える)ことだけに時間を費やそうと考えたのです。

私はもともと、瞬間記憶のマスターのための最初の一歩は、英単語を目で見て覚える訓練こそベストなのではないかと、なんとなく考えていました。

ついに、いままで考えていたことが完全に一本の線でつながったのです。

「瞬間記憶」をマスターしただけで、3ヵ月で偏差値30→70に！

高校2年生の4～6月までの3ヵ月間を、ひたすら1単語1秒、目で見て覚える訓練に費やしました。英単語帳を使って、瞬間記憶のマスターのために、1日4時間くらいの時間を使ったのです。

すると3ヵ月後の英語の模試で、偏差値30だった私が偏差値74になりました。

次に世界史に関しても、目で見て覚えて勉強するようにしたところ、3ヵ月で偏差値が70になりました。

そしてついに、**高校3年生のときのZ会の慶応大学模試では、全国1位を獲得するに至ったのです。**

凡人が凡人のまま努力をしても、天才になることは不可能。

だが最初に3ヵ月間という時間を使って、天才に生まれ変わることだけにフォーカスすれば、天才になって、天才と同じ結果を得ることができる。

このことを、身を持って証明したのです。

① 最初に、「瞬間記憶」をマスターすることに3ヵ月を費やす
② 努力する

この順番で、全国模試で1位になれました。

これは私が、生まれつき頭がよかったからではありません。もし生まれつき頭がよかったら、もっと早くに成績が上がっていたはずです。

天才と同じことができるようになれば、あなたも天才と同じ結果が手に入ります。

私はこの方法で成績を上げました。次は、あなたの番なのです。

「瞬間記憶」をマスターする以前に大切なことがある

「そうか、瞬間記憶をマスターすればいいんだな。早速、1単語1秒で覚える訓練を始めよう！」と思っていただけたと思います。

ですが「瞬間記憶」をしていく前に、前提となることがあります。

それが、瞬間記憶をするために適した「ノートづくり（教科書づくり・参考書づくり・問題集づくり）」です（ノートづくりの詳細は第四章に書いておきます）。

多くの教科書は、瞬間記憶に適していません。

それもそのはず、凡人のためにつくられているのが、学校の教科書だからです。

結局のところ、瞬間記憶専用の参考書というのは、ほとんど存在していなかったので、私が「瞬間記憶」のための参考書として『1分間英単語1600』『1分間英熟語1400』『1分間TOEICテスト英単語2000』（いずれもKADOKAWA刊）、『1分間英文法600』『1分間高校受験英単語1200』『1分間日本史1200』『1分間世界史1200』『1分間古文単語240』『1分間古典文法180』『1分間数学Ⅰ・A180』（いずれも水王舎刊）を出版した次第です。

凡人のための参考書はあっても、天才のための参考書はなかったからです。

参考書は私の「1分間シリーズ」を使っていただければ、いまの時代であれば解決できます。大切なのは日頃の「ノートづくり」を、瞬間記憶専用にしていくことです（できれば教科書、市販の参考書、問題集も瞬間記憶のためのものにつくり変えましょう）。

間違った勉強法では、間違ったノートの取り方をしてしまいます。

間違った勉強法のまま、間違ったノートを見ながら「瞬間記憶」をしても、間違ったものを「瞬間記憶」してしまいます。

こちらも言い方は悪いですが「最速のバカ」ができあがってしまうだけ、という結果になります。瞬間記憶をマスターする前に「やってはいけない勉強法」を知っておくことが、大切なのです。

すべては「瞬間記憶」のために、「やってはいけない勉強法」を知る

瞬間記憶のときに大切なのは「何を、どう覚えるか」です。

間違ったことを間違ったまま覚えてしまっては、意味がありません。「江戸幕府を開いたのは誰ですか？　徳川家康」が正しいのに「江戸幕府を開いたのは誰ですか？　豊臣秀吉」と、瞬間記憶で覚えてしまっては無意味です。

瞬間記憶ができるようになるということは、最速で物事を覚えられるようになるということです。これが一番のメリットです。

デメリットは、そもそも間違った方法論で勉強をしていたら、間違ったまま、勉強が最速化されてしまうということです。

（0）やってはいけない勉強法を知り、正しい勉強法に切り替える
（1）瞬間記憶をマスターする
（2）努力する

じつは（1）の前の、前提となる（0）が存在したというわけです。

「間違った勉強法をしている→瞬間記憶をマスターする→努力する」

というのでは、最速で成績が下がってしまうことになります。

あなたがおこなうべきは、凡人として努力をすることではなく、「天才に生まれ変わったあとに努力をする」ということです。

では、この本で一緒に「やってはいけない勉強法」を学び、天才に生まれ変わりましょう。

天才に生まれ変わる一歩は、この本をいますぐレジに持っていくことから始まります。常にこの本を手もとに置いておくことで、天才のあなたとして生きていくことができるのです。

第一章 「やってはいけない勉強法」をしなければ、正しい勉強法は自然と身につく

第二章 やってはいけない「記憶法」

第三章 やってはいけない「英語勉強法」

第四章

やってはいけない「ノート術」

第五章 やってはいけない「読書法」

「やってはいけない勉強法」をしなければ、正しい勉強法は自然と身につく

独学で勉強をしようとする人がいます。

独学だと、参考書や問題集を買って一人で勉強するので、安上がりで素晴らしいのではないかと思いがちです。

「私は塾に通わずに、独学で東大に合格したんです」という話は「塾にお金をかけないなんて、親孝行な子どもだ！」という意味で、美談のように語られます。

しかし、独学は一番やってはいけない勉強法です。というのも「先生との出会い」というのが、あなたの人生においては重要な出来事だからです。

そのチャンスを逃してしまう「機会損失」のほうが、お金よりも大きいです。

先生をつけないのは、時間の使い方としても間違っています。

先生に聞けばいいものを、自分で調べていたら、時間の無駄です。

「どこが試験に出るのだろうか」と自分で試行錯誤するよりも、すでにその道のプロフェッショナルがいるのですから「ここが試験に出ますよ」と先生に口で言ってもらったほうが早いのです。

勉強において大切なのは、スピードです。

「競争では、常に速い者が勝つ」（ベンジャミン・ディズレーリ）

という言葉がありますが、いかに最速で勉強ができるようになるかが第一であって、お金がかかる、かからないは二の次です。

「東大に合格する子どもの親は、年収1000万円以上が多い」という事実がありますが、これは最速で勉強をするために〝お金をかけるのが当たり前〟という家庭が多いからです。

そして、東大卒の男性、東大卒の女性が知り合って結婚して子どもができたら、子どもに教育費をふんだんにかけていく。

この高学歴スパイラルが生まれてくるわけです。

「勉強にお金をかけるのは、もったいない」という価値観の2人が結婚すると、子どもに教育費をかけないのが当たり前になります。

こうして、低学歴のスパイラルも同時にできあがっていきます。

どこかの段階で「教育のためにお金をかけるのは当たり前」という考え方にシフトしていかないと、ずっと子孫が低学歴のまま、ということになってしまいます。

「教育費をかけることは当然である」という家庭の子どもは、塾に通わせてもらえるので、どんどん成績が上がっていき、高い学歴を手に入れることができ、教育熱心な伴侶(はんりょ)を得られるというスパイラルになっています。

試行錯誤の時間をカットするために、お金を払って先生をつける。

お金よりも時間を大切にする人が、勉強ができる人になれるのです。

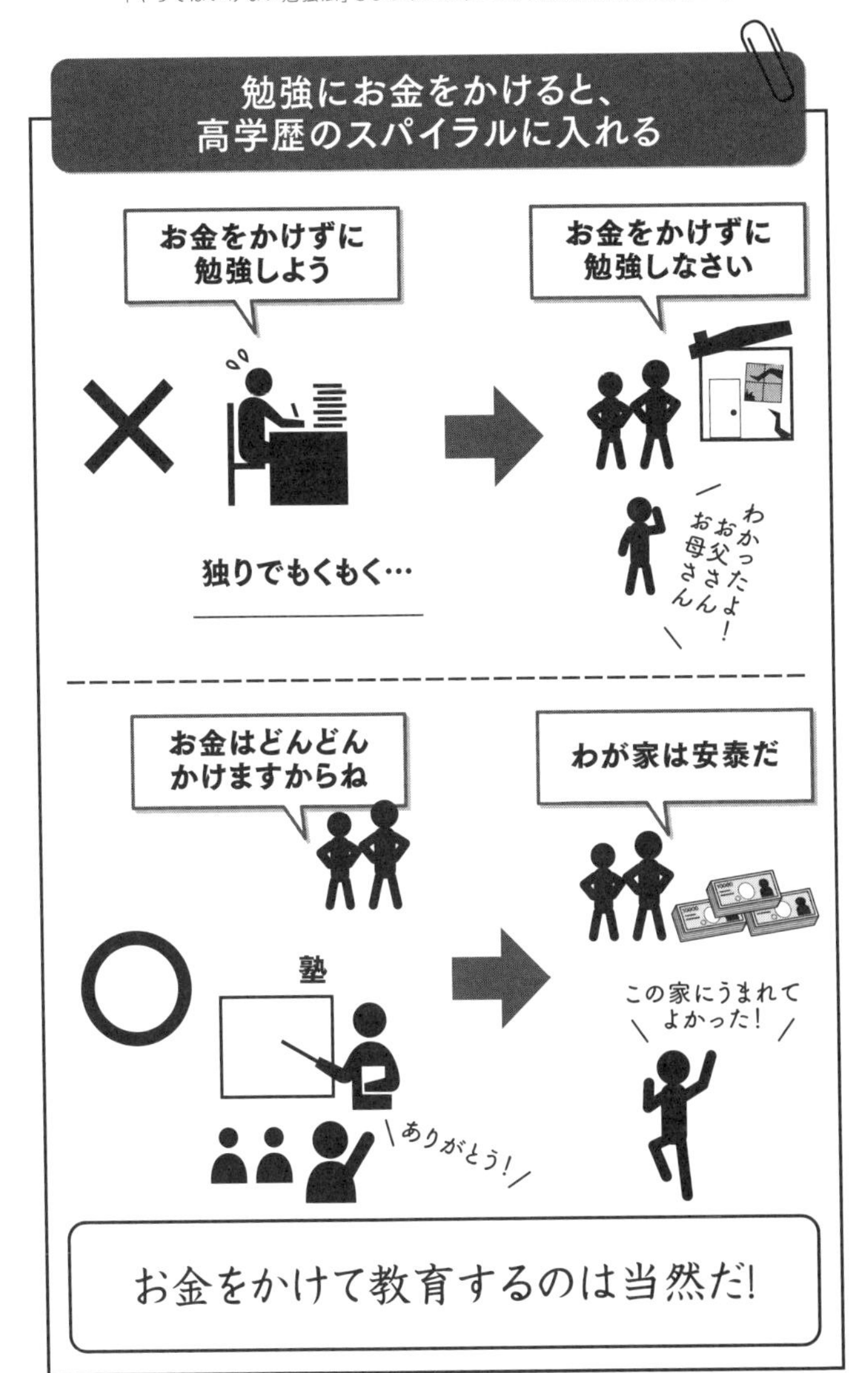
勉強にお金をかけると、
高学歴のスパイラルに入れる
お金をかけずに勉強しよう
お金をかけずに勉強しなさい
独りでもくもく…
わかったよ！
お父さん
お母さん
お金はどんどんかけますからね
わが家は安泰だ
塾
ありがとう！
この家にうまれてよかった！
お金をかけて教育するのは当然だ！

最近は通信教育が流行しています。スマートフォンで授業が受けられるので、地方に住んでいても一流の先生の授業が受けられる時代になりました。

これはもちろん素晴らしいことです。やらないよりは、やったほうがいいでしょう。ですが「通信教育を受けているから、それだけで安心だ」というのは間違いです。どこかで「なるべくお金をかけずに勉強をしたい」と考えてはいないでしょうか。

教育投資の利回りは、18％だと言われています。

すべての金融商品の利回りを上回るのが、教育への投資なのです。

勉強のためのお金を年間１００万円以上かけたとしても、いずれ何十年後に利子がついて戻ってきます。

先生のところに通うことのいいところは、実際に生の授業を聞くことで、先生の息遣いを感じることができることもちろんですが、先生との人間関係ができることが大きいです。

先生に会いに行けば、あなたは授業中に寝ていて怒られることもあるかもしれません。怒られたことが思い出になり、勉強の記憶にもつながります。

私自身、中学生のときに、壁に落書きをして、塾の国語の先生から怒られたことは、いまでも記憶に残っています。

一方で、ビデオ授業の内容は素晴らしいものであったとしても、10年後、20年後には忘れているはずです。

長期の記憶に残るために必要なのは「体験」です。

普通に暗記したことは、10年後には忘れてしまいますが、体験したことは10年後でも記憶に残るのです。

「まわりの友達は授業についていけるが、私はついていけない。だから家庭教師を雇おう。そうすれば私にぴったりの授業をしてもらえるはずだ」と言う人がいます。

家庭教師はつけないほうが賢明です。

というのも、家庭教師は、講師の当たり外れが大きいからです。

よくない家庭教師に当たってしまったら、それだけで時間の無駄になります。

「別の先生に変えてほしい」とお願いするのもストレスです。

家庭教師は大学生のアルバイトが講師を務めているケースが多いです。

講師という職業で食べているプロの塾講師から、勉強を習ったほうがいいに決まっています。お小遣い稼ぎのために家庭教師をやっている大学生にお金を払うのではなく、プロの講師にお金を払うのが正しいお金の使い方です（もちろん、なかには大学生で天才的な家庭教師はいます）。

教えるプロから教わることで「ああ、こう教えればいいんだな」ということもわかります。

塾の場合は、ダメな先生はすぐに人気がなくなって淘汰されていきます。**人気講師は最高の授業をするために、朝から晩まで知恵を絞っているから人気講師でいられるわけです。**

人気講師のなかで、あなたにぴったりの先生を探しましょう。

勉強は、成績を上げるという目的のためにおこなうものです。

そんななか、人生にとって思い出になるのは「いい先生に、どれだけ出会えるか」ということです。

先生に出会うことは、人生の楽しみの１つでもあるのです。

勉強法 その4

やってはいけない！

小論文を自分で練習して、上手になろうとする

これで天才に！

小論文は添削してもらって、上手になろうとする

文章は、自分の力だけでは絶対に上達しません。

小説家になる人でさえ、最初からうまかった人は少ないものです。小説スクールに通って、先生から小説の正しい書き方を学んで、添削を受けます。

私も、作家志望の方に文章の書き方を教えていますが、文章は自分の力だけでは上達することは不可能だと感じています。

なぜなら、誰しも、自分にとって最高の文章を書いているものだからです。

「自分にとって最高の文章が、なぜほかの人にとっては読みづらいのか」ということを、客観的に教えてもらうことでのみ、文章は上達します。

好き勝手に書いて、偶然に素晴らしい文章になるということはありません。

英語・数学・理科・社会に関しては、模範解答を見て自分の間違いに気づけます。ですが小論文に関しては、自分の間違いに、絶対に自分では気づけません。

通信教育よりも実際に塾に通ったほうがいいと前述しましたが、例外があります。それが小論文です。

小論文に関してだけは通信添削が有効です。

多くの見知らぬ先生から指導を受けることで、自分の文章を客観的に添削してもらえるからです。

なんでも自力でがんばるのは美徳ではありません。

先生に添削されないと、成績が上がらない教科も存在するのです。

やってはいけない！ 漢字の勉強をする

これで天才に！ 漢字の勉強は一切しない

漢字の勉強は小学校のときまでは大切です。小学校レベルの漢字がわからないと、問題文も読めないからです。

ですが中学に入ったら、漢字の勉強をするのはオススメしません。入試での配点が低いからです。

たとえば東大の入試でさえ、漢字問題は3問です。

1問は〝勉強しなくても知っている〟漢字。

もう1問は〝勉強していても知るはずがない〟漢字。
残りの1問が〝勉強すればできるようになる〟漢字だと考えてください。

1問2点で配点が6点だったとして、勉強しなくても2点、勉強しても4点なのであれば、その差はたった2点です。

2点のために勉強時間の多くを費やすのは、時間の無駄です。

ならば、配点が高い英語・数学に時間を使ったほうが、効率的に総合得点を上げることができます。

「漢字を知らなかったら、社会に出てから困るじゃないか」

このように言う方がいます。

それならば社会に出てから困ればいいことです。

入試で合格することが目の前の課題なのですから「漢字問題は捨てる」というのが受験勉強の正解です。

私自身、アナウンサーとして5年勤めましたが、原稿には必ずふりがなが振ってあるので、漢字を知らなくて困ることはありませんでした。日本語の専門家であるアナウンサーでさえ漢字が読めなくても困らないのですから、漢字を知らなくても社会に出て困ることは、ほとんどないと考えてください。

教育においては、漢字を読めるようになることは大切かもしれません。

ですが、**試験の配点が低いものに関してはどんどん捨てていく**のが、試験勉強においては正解なのです。

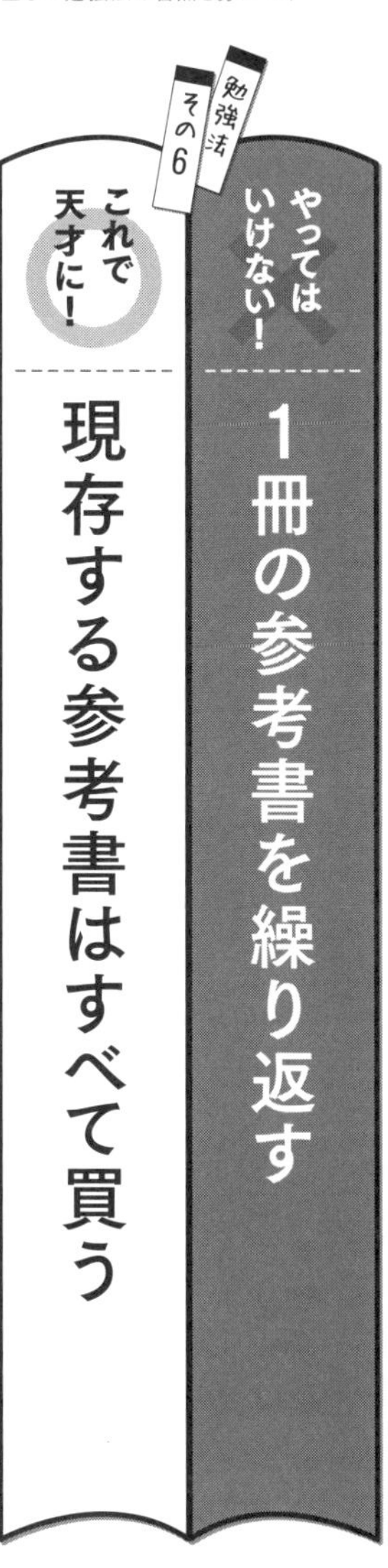

「同じ参考書を何度も繰り返しなさい。そうすれば頭に入ります」と言う先生は、とても多いです。

正しいことのように聞こえます。凡人にとっては正しいことなのですが、天才にとっては、同じ参考書を何度も繰り返すのはまったく意味がない勉強法です。

最終的には自然と「瞬間記憶」ができるようになるわけですから、1冊の参考書を繰り返したら、1日の勉強が10分以内で終わってしまいます。

理想は「現存する参考書はすべて買う」ということです。

パラパラと、見開き2ページを0・5秒のスピードでどんどんめくっていったほうが、大量の情報を頭に入れることができます。

たとえば日本史の場合、1冊の参考書を繰り返すのと200冊の参考書を頭に入れるのであれば、後者のほうが成績は上がります。

全国模試1位クラスの実力者は、基本的にはどんな問題が出ても解けます。

なぜなら、現存する問題のほぼすべてに目を通したことがあるからです。

すべての問題が見たことのある問題ならば、満点が取れて当然です。

もし知らない問題が出たら「あれ？　この問題は、現存する参考書に載っていない問題だぞ。私が見たことがない問題が出るなんて、なかなかやるな」と思えるようになります。

そうなったら天才として勉強をしている証拠です。

「凡人のまま、どうやって成績を上げるか」というアプローチに意味はありません。

「天才になったあと、どうやって成績を上げるか」というアプローチが、正しい勉強法なのです。

すべての問題が見たことがある問題ならば
誰でも満点がとれる
1冊の参考書を
繰り返そう
こんな問題、
あの参考書には
載ってなかったぞ！
ガビーン
現存する参考書は
すべて買うぞ！
あの参考書と
同じ問題だ！
やったー！
瞬間記憶ができるようになれば、
すべての参考書に目が通せる！

やってはいけない「記憶法」

「暗記するためには、書かなければいけない」と考えている方は多いです。

覚えるために何度も書くのは、もっとも非効率な勉強法です。

もちろん小学生のときは、漢字の書き取りがあったり、五十音を書けるようにならなければいけないので、書いて覚える必要があります。

とはいえ、中学校に入ったら書いて覚える勉強法はやめましょう。

ついつい小学校のときからの習慣で、書いて覚えようとしてしまう人が多いのですが、悪習慣だと割り切って**目で見て覚える訓練**をしましょう。

書いて覚えるのではなく、目で見て覚える

1単語6秒なら
60秒で
10単語

パッ
パッ
パッ

1単語1秒なら
60秒で
60単語

目で見て覚えるだけで
6倍効率が上がる!

英単語を書いたとしたら、1つの英単語につき、6秒かかります。

目で見たら1秒です。ここで6倍のスピードの差が生まれます。

記憶に大切なのは、反復した回数です。

10回書いて60秒かけて覚えるよりも、60秒で60個の英単語を見て復習したほうが、記憶は定着します。


私たちは3歳のときまでに日本語をだいたい覚えますが、そのときに「書いて日本語を覚えた」という子どもは誰もいません。

耳で聞いて、親が話している姿を目で見て覚えたわけです。日本語は耳で聞いて、目で見て覚えたわけですから、英語も同じことができるはずです。

英単語を書いて覚えるのではなく、目で見て覚える。

「瞬間記憶」のトレーニングは、英単語を目で見て覚えるところからスタートするのです。

勉強法 その8

やってはいけない！ 机の前に座って覚える

これで天才に！ 歩き回りながら音読する

目で見て覚えることも効果的ですが、さらに広く言えば「五感を使って覚える」というのが、もっとも記憶に定着します。

目で見て、口で音読して、歩き回りながら覚える。

これが、もっとも効率がいい方法です。

私はこれを**「二宮金次郎式暗記法」**と名付けています。

二宮金次郎の銅像は、本を持ちながら歩いて、ブツブツ言いながら勉強している姿になっています。

重い薪(まき)を背負っていますが、これは自分に負荷をかけることでさらに五感を刺激して、暗記が捗(はかど)る効果があるのでは、と私は考えています。

私はリュックサックやランドセルを背負って、ブツブツ言って歩きながら暗記をしたらさらに効果があると考え、受験時代は手さげカバンではなくリュックサックにして、塾に通っていました。

二宮金次郎式暗記法は、確かにほかの人に見られたら恥ずかしいという弱点はあります。ですが、**同じ時間を効率的に使うという観点から見たら「二宮金次郎式暗記法」がベストです。**

もし、あなたが手さげカバンで通学しているのであれば、リュックサックに変えるだけで、暗記の効率そのものが上がるのです。

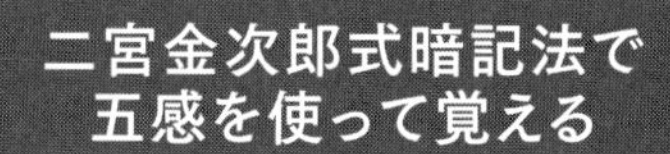

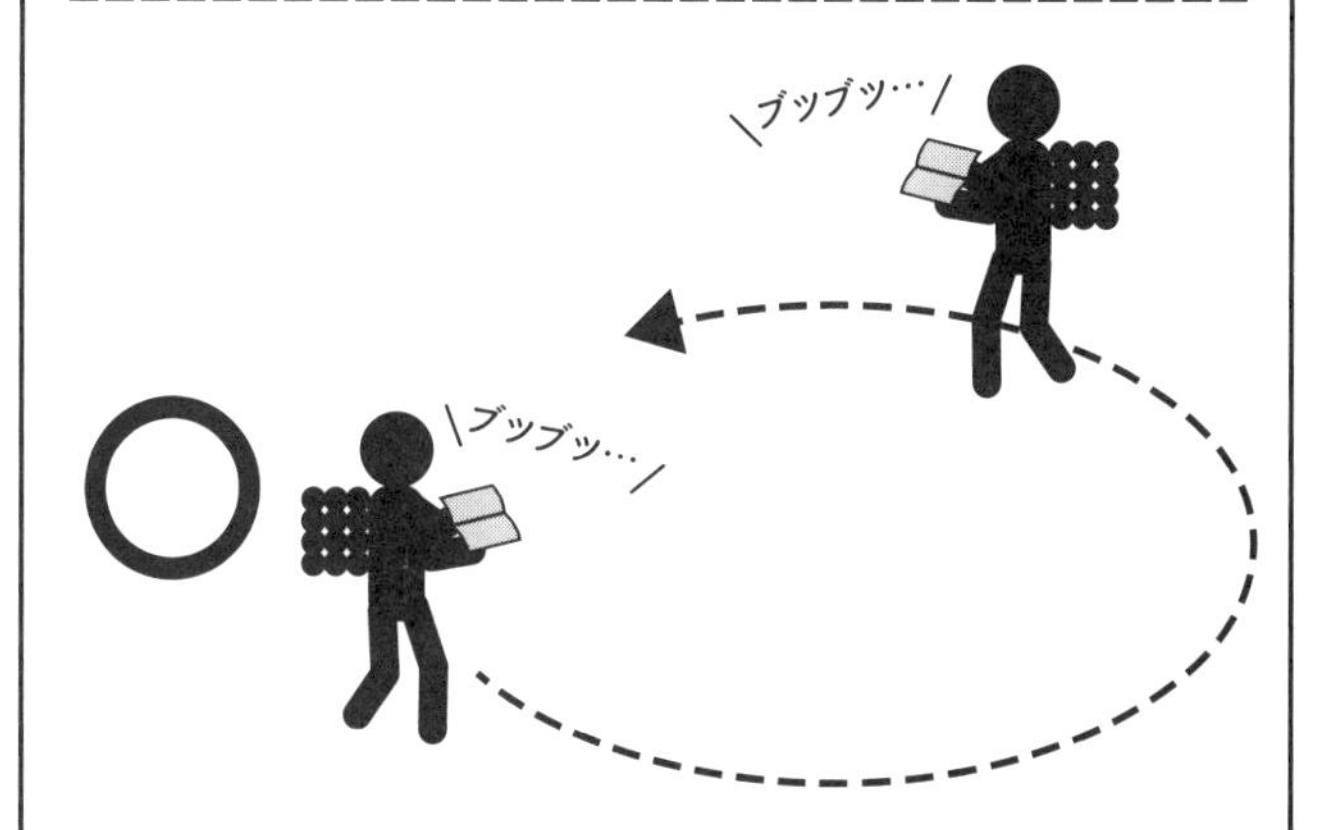

歩き回りながら音読したほうが、
覚えられる!

勉強法
その9

やってはいけない！
静かな場所で覚える

これで天才に！
わざと雑音があるところで覚える

「勉強するためには、静かな場所が一番いいはずだ」
これを当たり前のように思っている人がいます。
違います。
わざと少し雑音があるところで勉強をするのが、もっとも効果的です。
雑音をシャットアウトした瞬間に、人は集中状態に入るからです。
雑音がまったくない無音状態だと、逆に落ち着かなくなって集中できません。
もちろん、うるさすぎる場所で勉強しようとするのは、間違っています。

適度な雑音が一番です。

以前、電車が通る線路沿いに住んでいたことがあるのですが、不定期に電車が通って集中が削(そ)がれるので、なるべく図書館や自習室に行って勉強をしていました。

音楽を聴きながら勉強をするのは、もってのほかです。

とくに日本語の曲は、歌詞が気になって集中できなくなります。

それであれば外国の曲やアフリカ民謡などの、聴いても意味がほとんどわからない曲のほうがまだいいのですが、そもそも音楽を聴かないほうが集中できます。

〝川のせせらぎ〟のような「α波が出て集中できますよ」という謳(うた)い文句の音楽も試したのですが、逆にα波CDがないときに集中力が落ちるという習慣になりかねませんので、オススメしません。

あくまで、普通の雑音があるくらいのところで暗記するのが一番捗ると思って、雑音があるところで勉強に取り掛かるのが、効果的なのです。

勉強法 その10

やってはいけない！

何も考えずに電車の席に座る

これで天才に！

連結部分の隣を狙って電車の席に座る

電車で通学するときに、何も考えずに電車に乗っている方がほとんどです。

「座れたらラッキーだけど、座れなかったら残念」

これくらいしか考えていません。

電車というのは30分、1時間と、まとまった勉強時間が取れる貴重な乗り物です。

電車という空間を「適度な雑音がある勉強部屋」とすることができれば、時間を有効活用することができるわけです。

では電車に乗るときは、どこの座席に座るのがいいのでしょうか。

答えは、「連結部分の隣の席で」す。

この席は横に机のようにモノを置ける場所もあるので、勉強には最適です。

それでいて、人の会話よりもガタンゴトンという車輪の音が耳に入るので、集中するための雑音としてはもってこいというわけです。

「電車に乗るときの特等席は、連結部分の隣である」とわかっていれば、ホームで並ぶ場所も決まってきます。

向かって右に連結部分がある車両の場合は、一番右に並びます。

向かって左に連結部分がある車両の場合は、一番左に並びます。

これを習慣づけるだけで、電車は最高の勉強部屋に変わります。

「ここまでやるのか」と思うかもしれませんが「神は細部に宿る」と言われます。

勉強に集中するために、髪の毛一本分の利益でさえ逃さないようにするのが、勉強の天才になれる人なのです。

電車に並ぶときは、連結部分を狙う

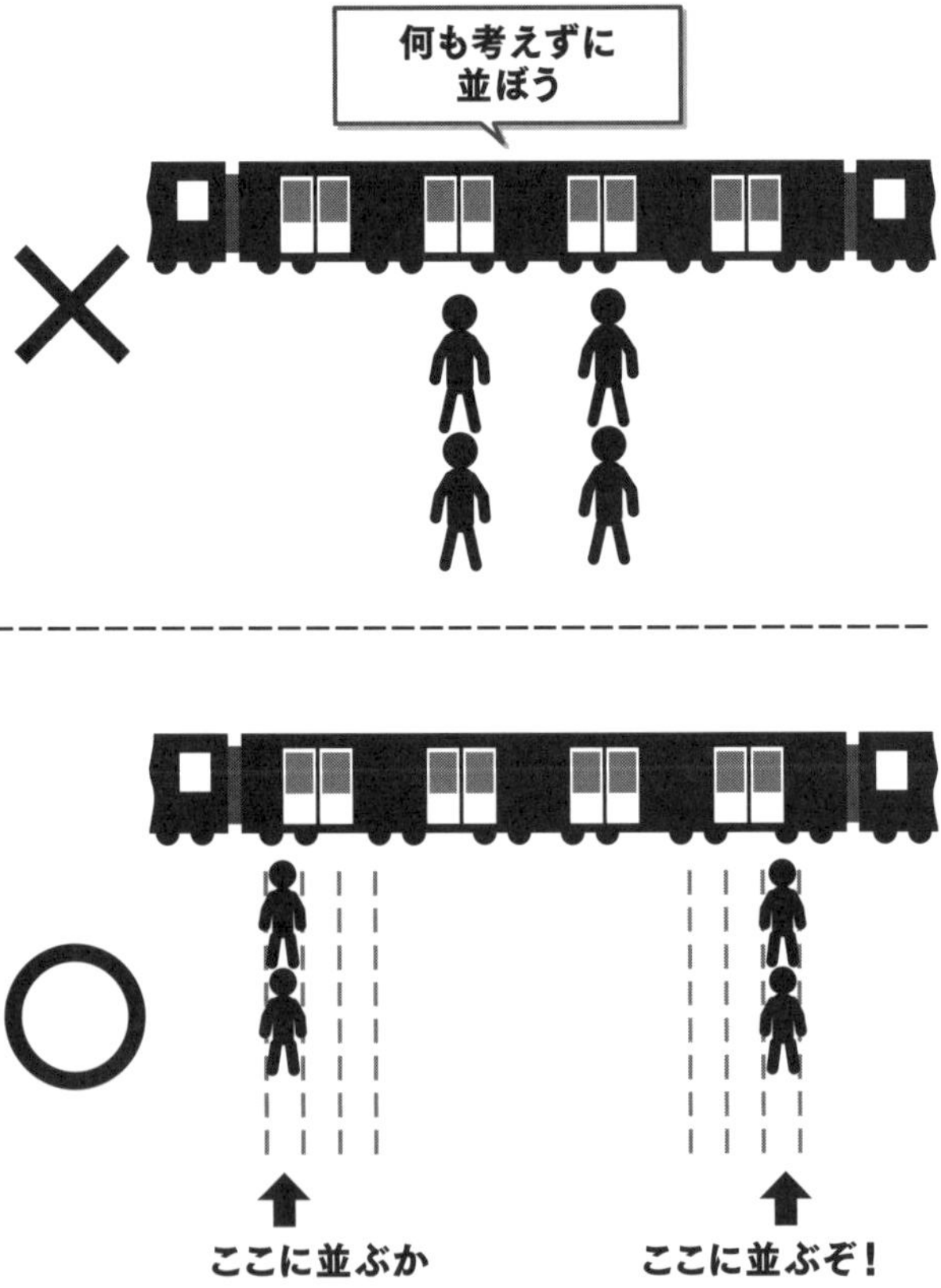

何も考えずに
並ぼう

×

○

ここに並ぶか

ここに並ぶぞ！

連結部分は、勉強する人にとっては
特等席だ!

勉強法 その11

やってはいけない！

黄色の蛍光ペン1色だけを使う

これで天才に！

赤・緑・黄・青の4色の蛍光ペンを使う

「蛍光ペンでアンダーラインを引こう」と言って、いつも黄色の蛍光ペンだけを持ち歩いている人がいます。

蛍光ペンは1色だけではなく4色を使いましょう。

4色というのは赤・緑・黄・青の4色です。

「右脳は色に反応する」と言われますので、色を使って勉強するのは基本です。とはいえ12色、24色を使ってしまったら「次はどの色にしようかな」という無駄な時間が生じてしまいます。

リモコンのdボタンも赤・緑・黄・青の4色ですし、幼児教育で使われるフラフープもこの4色です。

赤・緑・黄・青に、意味を当てはめて右脳を刺激するのが正解です。

暗記をするときには、

赤→見た瞬間に0秒で意味がわかるもの
緑→3秒くらい考えて意味がわかるもの。うろ覚えのもの
黄→見たことはあるが、意味はわからないもの
青→見たことも聞いたこともないもの

としてアンダーラインを引きます。

そうすると、緑のものを暗記するのがもっともストレスが少なく、最短で覚えることができるものだということになります。

時間があれば黄色を緑に昇格させ、青を黄色に昇格させていくために、何度も眺めたり、音読したりします。

こうすることで、右脳を活性化させて記憶をすることができるようになるのです。

さらに、日本史・世界史の場合は次のように使います。

赤↓人名
緑↓事件・出来事
黄↓その他
青↓年号

このように教科書や参考書を色分けします。

たとえば世界史の場合「ハンニバル」という言葉が出てきたときに、人名なのか、国の名前なのか、通貨の名前なのか、事件の名前なのかがわからないと、暗記をするときに支障が出ます。

常にこの4色に色分けをしてから教科書・参考書を眺めることで、瞬間記憶の際にとてもスムーズに覚えられます。

「色を塗る時間がもったいないのではないか」と言う方がいるのですが、最終的に「瞬間記憶をいかにスムーズにしていけるか」ということのために準備をするのが、天才の勉強法です。

ウルトラマンにたとえると、スペシウム光線を出すまでに、怪獣を投げ飛ばしたりして弱体化させていくのが、4色に分けていく作業です。

最終的に瞬間記憶に持っていくための作業は、避けて通れません。

瞬間記憶という必殺技があるとどうなるか、想像してください。

試験の前日に、世界史であれば8400問を復習することが可能です。

8400問で入試に出る問題の9割がカバーできます（『1分間日本史完全版』『1分間世界史完全版』参照：キンドルにて販売中）。数学では試験の前日に、1問1秒で、6000問の復習をすれば大抵は同じ問題が翌日に出ます。

「すべては瞬間記憶のために」と考えて勉強をするのが、天才としての正しい勉強法なのです。

4色の蛍光ペンを使って色分けをする

暗記をする場合

○
- 赤→見た瞬間に0秒でわかるもの
- 緑→3秒くらい考えて意味がわかるもの
- 黄→見たことはあるが、意味はわからないもの
- 青→見たことも聞いたこともないもの

日本史・世界史の場合

○
- 赤→人名
- 緑→事件・出来事
- 黄→その他
- 青→年号

あとで瞬間記憶をするために、
最初に4色に分けておく!

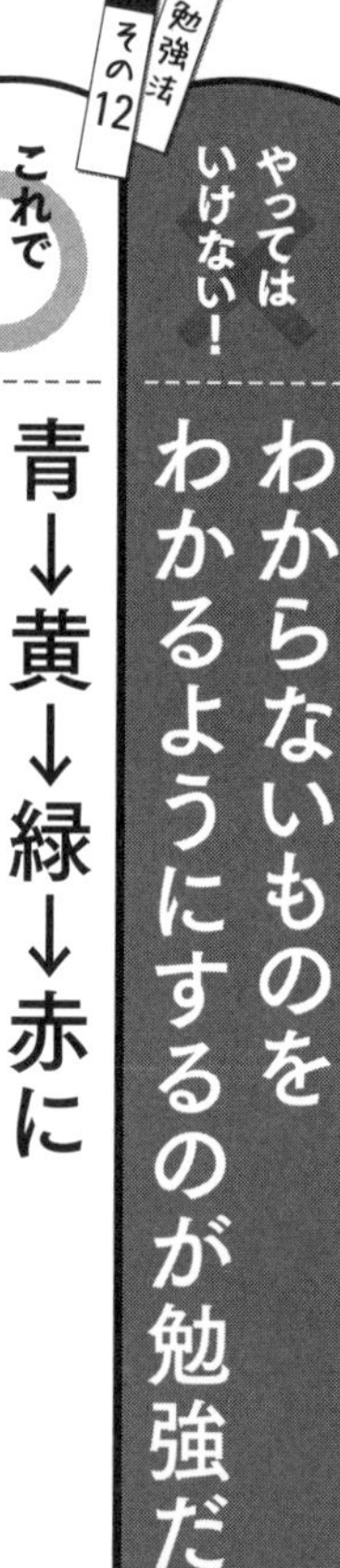

前項の色分けに関して、もう少し掘り下げていきます。

「学校の授業を聞いて、わからないことをわかるようにしていくのが勉強だ」

「知らない問題を解いて、理解できるようになることが勉強だ」

と、当たり前のように考えている人は多いです。

もし本当にそうならば、学校の授業を受けている人は全員成績が上がって、全員が東大に合格できていなければおかしいです。

つまり「わからないことをわかるようにすることだけが勉強なのではない」という

ことに気づく必要があります。

勉強には4段階あります。

先ほど暗記項目でも触れましたが、4段階を色に当てはめるとこうなります。

赤……見た瞬間に0秒で意味がわかるもの
緑……3秒くらい考えて意味がわかるもの。うろ覚えのもの
黄……見たことはあるが、意味はわからないもの
青……見たことも聞いたこともないもの

青のものを黄に、黄のものを緑に、緑のものを赤に昇格させていくことが、勉強なのです。

まず、青の見たことも聞いたこともない状態では、何も頭に入ってきません。

理科で出てくる「ブラウン運動」という言葉を、見たことも聞いたこともなければ先へ進めません。まずは「ブラウン運動という言葉を、最近何回も聞くなあ。意味はわからないけど」という状態になる必要があります。

この青→黄の段階にかけて、一番有効なのが「音読」です。

何度も口に出していれば、馴染(なじ)みのある言葉になっていきます。

次に、黄→緑にしていく作業です。

ここが「わからないものをわかるようにする」という作業です。

学校の授業や塾の授業は、この黄色の部分を担(にな)っています。

「わからないものを、わかるようにするのが勉強だ」というのは、勉強の全体像の3分の1しか、捉えていないということだったわけです。

この段階で「微粒子がランダムに動く運動のことを、ブラウン運動という」ということがわかれば、「ブラウン運動か。微粒子がランダムに動く運動のことだな」ということが腑(ふ)に落ちます。

次に、緑↓赤にしていく作業です。

「ブラウン運動か。えーっと、なんだっけ。あ、そうそう、微粒子がランダムに動く運動のことか」という、見て3秒くらい考えて思い出せる状態（うろ覚えの状態）が、緑の状態です。

うろ覚えの状態から、見た瞬間に0秒でわかる状態にしていくと、完璧な記憶になるというわけです。

①　青↓黄
②　黄↓緑
③　緑↓赤

という順番で、勉強をしていきます。

ストレスがかかる順番に言うと、①↓②↓③の順です。

見たこともないものを、馴染みのある状態にするのは大変です。

囲碁にまったく興味がない人が「囲碁に興味を持て」と言われたら、かなり抵抗を感じるはずです。ラグビーに興味がないのに「ラグビーのルールに目を通せ」と言われても、抵抗があります。

とはいえこの**青↓黄は避けて通れないので、挑戦する必要があります。**ラグビーに興味を持ったら「タックルってどんな意味だろう？」「バックスってどのポジションなんだろう？」と、ルールを理解するというステージに行けます。

何度もバックスという言葉を聞いていたら学びやすくなります。

黄↓緑の作業も、時間がかかります。

一番時間がかからず、成績に直結するのは、緑↓赤の作業です。うろ覚えのものを、見て0秒で言えるようにするわけですから、ここは「瞬間記憶」の出番です。

とにかく、大量のうろ覚えのものをどんどん目に入れていけば、記憶に定着させていくことができます。

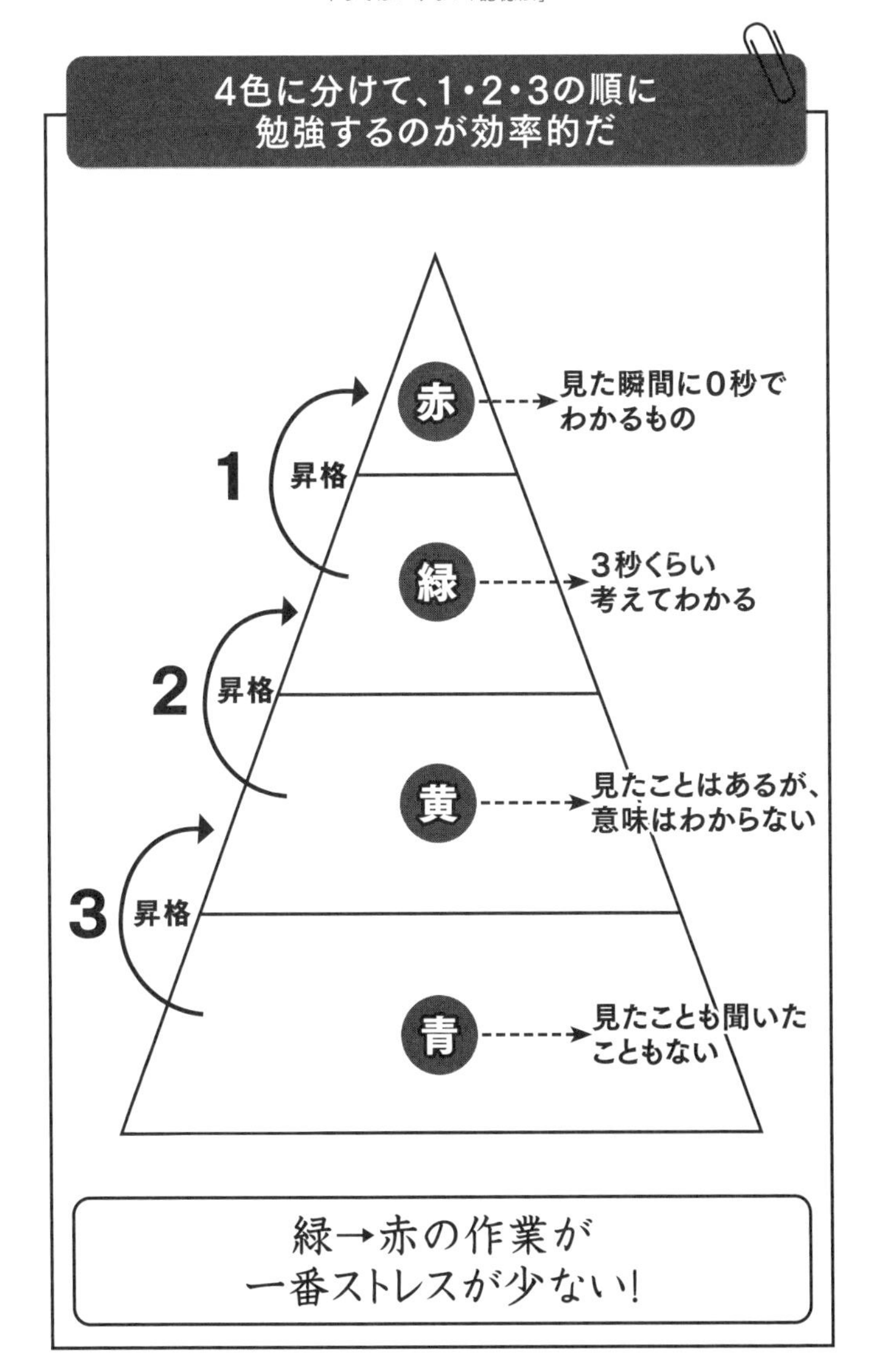
4色に分けて、1・2・3の順に
勉強するのが効率的だ
赤
見た瞬間に0秒で
わかるもの
1
昇格
緑
3秒くらい
考えてわかる
2
昇格
黄
見たことはあるが、
意味はわからない
3
昇格
青
見たことも聞いた
こともない
緑→赤の作業が
一番ストレスが少ない!

多くの受験生が「わからないものをわかるようにする」という、②の黄↓緑の作業に一番多くの時間を費やしています。それよりも大切なのは緑↓赤の作業です。もっともストレスが少なく成績が上がるのですから、この作業をしない手はないです。なので、**あなたが勉強に取り掛かる順番は、③↓②↓①の順番です。**

勉強とは、青↓黄↓緑↓赤に昇格させていくことです。

ただし、取り掛かる順番としては、

（1）緑↓赤

（2）黄↓緑

（3）青↓黄

の順番が正しい。

こうやって勉強を進めていくことで、最速で得点を上げることができるのです。

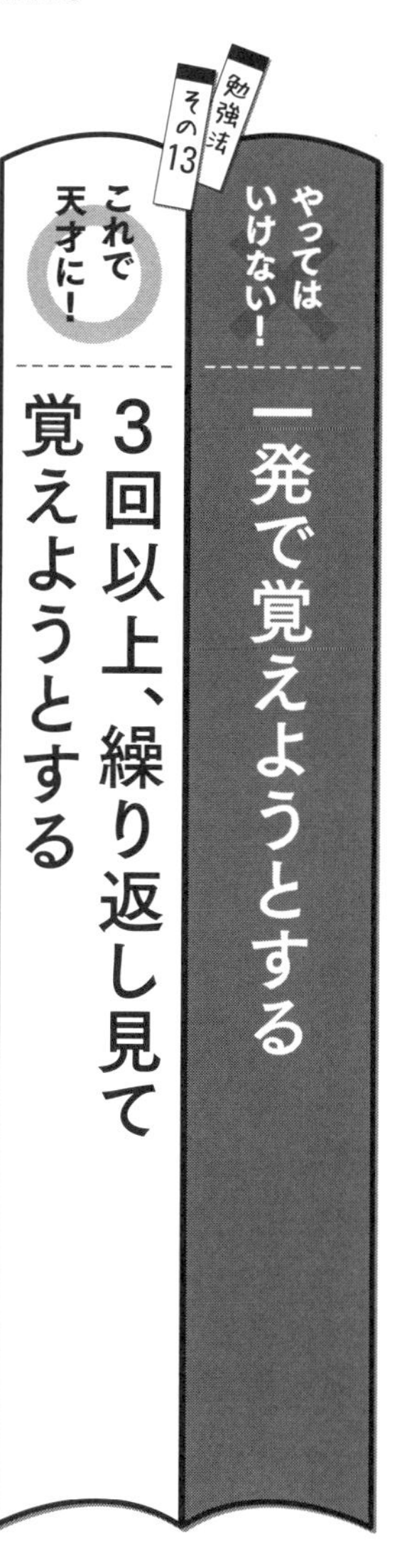

「瞬間記憶」というと、一発で見てすべてを暗記することを指していると思われる方がいます。たとえ一発で覚えたとしても、それは一発で忘れる記憶と同義だと考えてください。

「脳は、繰り返されたものを大切なものだと感じる」という特徴があります。

なので「少なくとも3回は見て覚えるのが、瞬間記憶である」と考えてください。

試験当日まで覚えていなければいけないので、最低3回は目で見て覚えることで、長期記憶に定着させていく必要があります。

記憶には、長期記憶と短期記憶があります。

短期記憶……20秒以内
長期記憶……20秒以上

基本的にテレビのCMは15秒、ラジオのCMは20秒です。

短期記憶に訴え、何度も繰り返すことで、長期記憶に移していくのが正しい記憶法です。なので、一度見て覚えて忘れないことを目指すよりも、3回以上見て忘れないことを目指したほうが、試験当日のためにはいいのです。

「倒すのではない。当てるんだ。そうすれば勝てる」
という、ボクサーのモハメド・アリの言葉があります。

一発の右ストレートで倒すのではありません。何度もジャブを打つことで相手を倒していくのです。ストレートは空振りする可能性が高いですが、ジャブのほうがより確実に当てることができます。

とにかくジャブを当てていくことが、暗記の必勝法です。

私はこの方法のことを**「ジャブKO法」**と呼んでいます。

では、どのくらいジャブを打つのが瞬間記憶にはいいのかというと、

① 3回繰り返し見て覚える↓大天才レベル

② 9回繰り返し見て覚える↓かなりな天才レベル

③ 21回繰り返し見て覚える↓天才レベル

という3つの基準があると考えてください。

「1回見ただけで覚えたよ」という超天才の人もいるかもしれませんが、そういう人は、1ヵ月後には忘れているケースも多いです。

記憶への定着を考えたら「最低3回は見て覚える」というのが成功イメージです。

なぜ3回・9回・21回なのかを説明します。

「人は3回言われて、やっと本当だと信じる」と言われています。

「安い」と1度だけ言われても信じませんが「安い、安い、どこよりも安い」と言われたら、本当にそうかもしれないと感じます。

9というのは、その3がさらに3倍になった数です。

なので、より「これは大切なことなんだな。記憶しておかなければいけないぞ」と脳に信号を送ることができます。

21というのは、「潜在意識は21日で切り替わる」と言われていたり、タロットカードのザ・ワールド（完璧）というカードが21番だったりと、完全なる世界をつくり上げるための数字だと考えられています。

なので、3回・9回・21回、瞬間記憶を繰り返すことで、記憶に定着させていくのが正しい暗記術なのです。

ジャブKO法で、覚える

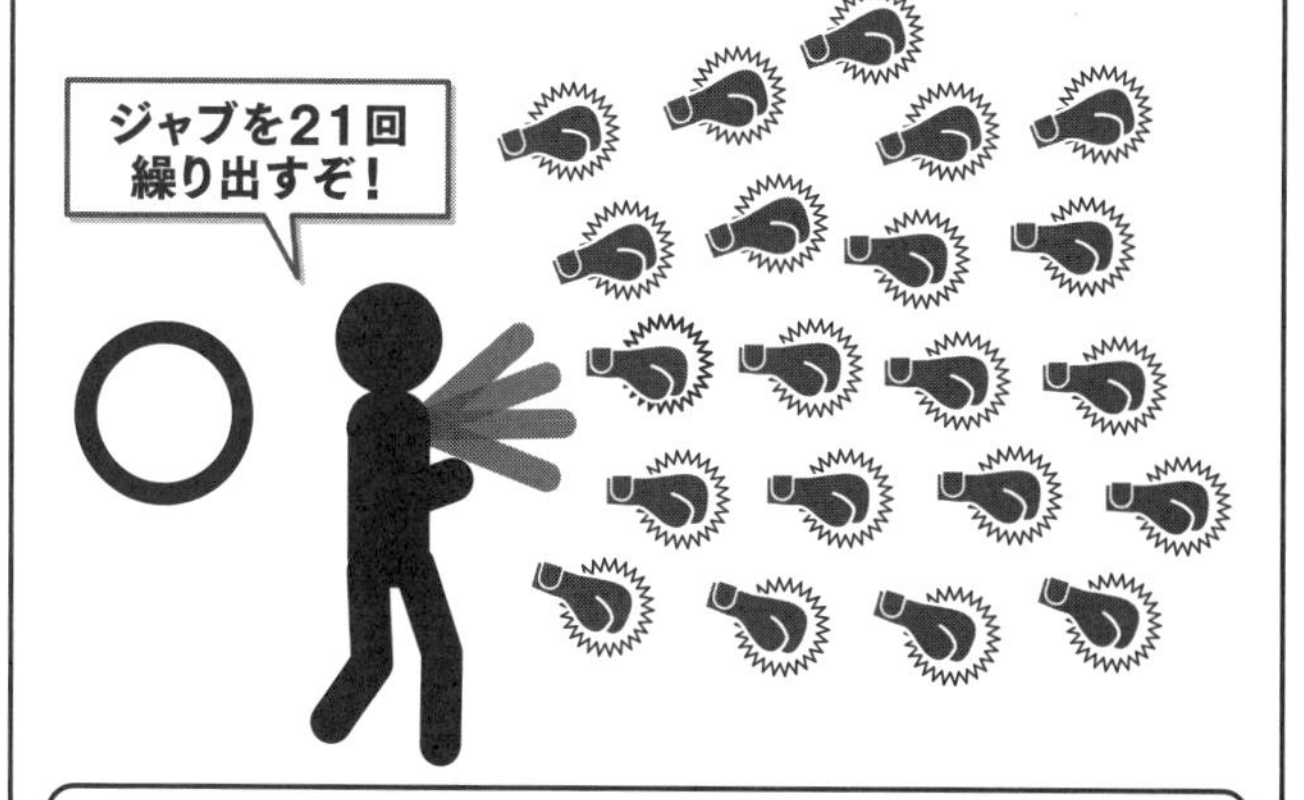

一発のストレートではなく、
21発のジャブで倒そう!

「覚えなければ！」と気合いを入れて暗記をしようとしている人がいます。その場合、ほとんど覚えられないはずです。「やっぱり覚えられなかった。暗記は苦手だ」となるわけです。「覚えなければいけない」と思うと、失敗します。

では、どうしたらいいのでしょうか。

そう。覚えたいと思ったら、忘れようとすればいいのです。

『巨人の星』という漫画で、主人公の星飛雄馬（ほしひゅうま）が魔球を編み出すために、禅寺の和尚（おしょう）のところに修行に行くシーンがあります。

座禅を組んでいる飛雄馬の肩を和尚が棒で叩いて、こう言ったのです。

「打たれまい、打たれまいとするから、打たれるのだ。一歩進んで、打ってもらおう。この気持ちがあれば打たれないのだ」と。

ここで「がーん！」と、飛雄馬は衝撃を受けて、インスピレーションが湧きます。

「わざとボールをバッターのバットに当てて凡打にする」という大リーグボール1号が誕生するのです。

暗記についても同じです。

「覚えよう、覚えようとするから、忘れるのだ。一歩進んで、忘れよう。忘れようとすれば覚えられる」

これが天才の暗記法です。

天才は、普通の人の逆をすることで成功します。

天才バッターと呼ばれた元・広島東洋カープの前田智徳（とものり）選手は「バットをゆっくり振って、ホームランを打つんだ」と言っていました。

普通の選手は速いスイングをして、バットをボールに当ててホームランにしようとするところを、彼はまったく逆の悟りを得ていたのです。

大リーグのイチロー選手は「わざと詰まらせて、ヒットを打つ」と言っています。

普通はボールが詰まったらピッチャーの勝ちで、詰まらされたらバッターの負けと言われています。

そこを、あえてボールを詰まらせることで、バットコントロールをして好きな場所にボールを落とすというのが、イチロー選手なのです。

暗記に関しても、天才はまったく凡人とは逆の発想をするのです。

凡人は、覚えようとして、失敗して、覚えられないという結果が待っています。

天才は、忘れようとして、失敗して、覚えているという状態をつくり出します。

天才は、忘れることにわざと失敗することで暗記をするのです。

あなたは、暗記をするときに「がんばって覚えてやるぞ」としていなかったでしょうか。

違います。忘れようとすればするほど、結果として覚えられるのです。

天才として勉強をするということは、凡人とは逆のことをするということなのです。

郵便はがき

162-0816

恐れ入ります
切手を
お貼りください

東京都新宿区白銀町1番13号

きずな出版 編集部 行

フリガナ

お名前　　男性／女性
未婚／既婚

(〒　　-　　)
ご住所

ご職業

年齢　10代　20代　30代　40代　50代　60代　70代〜

E-mail

※きずな出版からのお知らせをご希望の方は是非ご記入ください。

愛読者カード

ご購読ありがとうございます。今後の出版企画の参考とさせていただきますので、アンケートにご協力をお願いいたします（きずな出版サイトでも受付中です）。

[1] ご購入いただいた本のタイトル

[2] この本をどこでお知りになりましたか？

1. 書店の店頭　2. 紹介記事（媒体名：　　　　　　　　　　　　）
3. 広告（新聞／雑誌／インターネット：媒体名　　　　　　　　　）
4. 友人・知人からの勧め　5.その他（　　　　　　　　　　　　）

[3] どちらの書店でお買い求めいただきましたか？

[4] ご購入いただいた動機をお聞かせください。

1. 著者が好きだから　2. タイトルに惹かれたから
3. 装丁がよかったから　4. 興味のある内容だから
5. 友人・知人に勧められたから
6. 広告を見て気になったから
（新聞／雑誌／インターネット：媒体名　　　　　　　　　　　）

[5] 最近、読んでおもしろかった本をお聞かせください。

[6] 今後、読んでみたい本の著者やテーマがあればお聞かせください。

[7] 本書をお読みになったご意見、ご感想をお聞かせください。
（お寄せいただいたご感想は、新聞広告や紹介記事等で使わせていただく場合がございます）

ご協力ありがとうございました。

きずな出版　URL http://www.kizuna-pub.jp　E-mail 39@kizuna-pub.jp

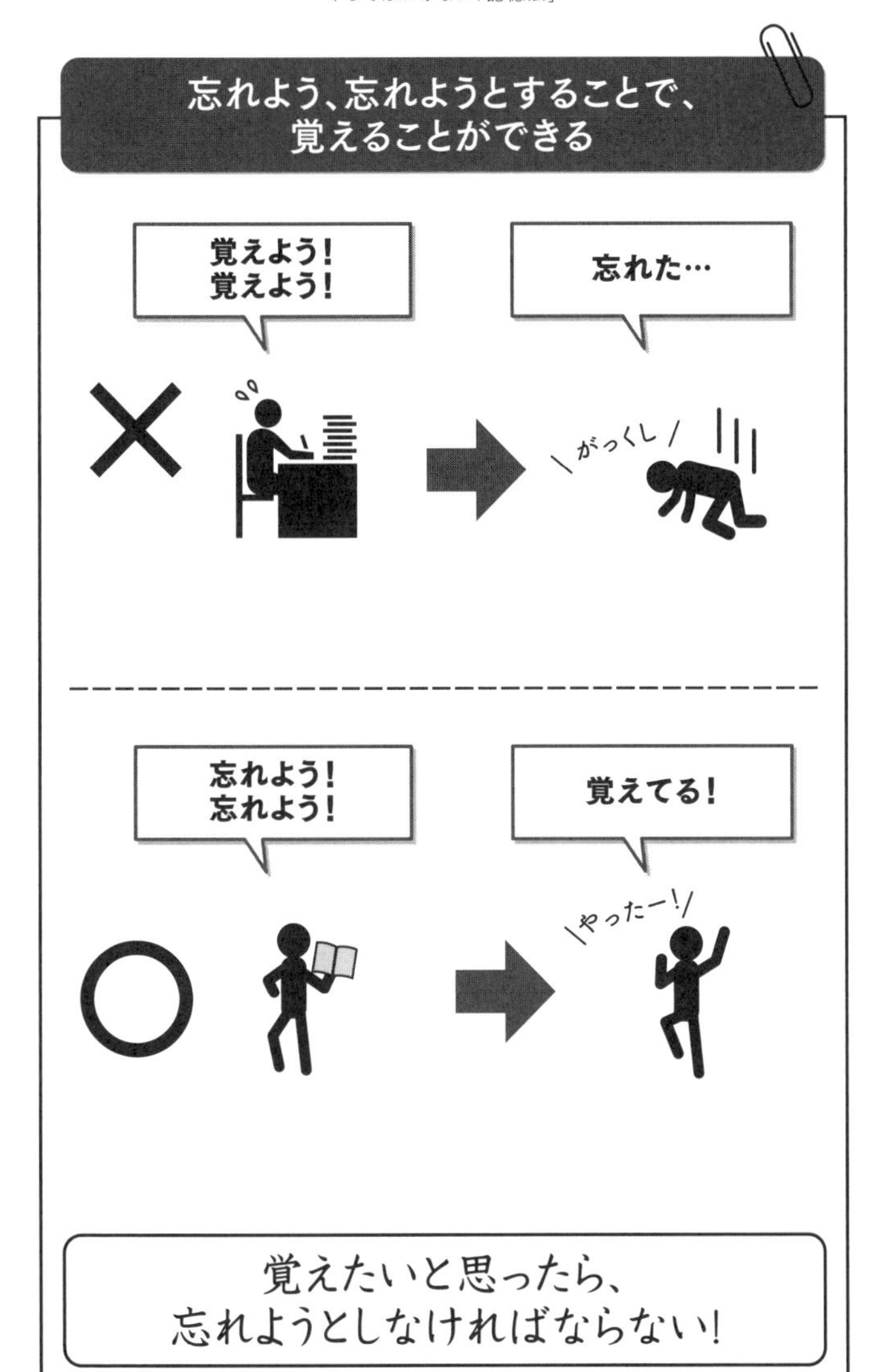
忘れよう、忘れようとすることで、
覚えることができる
覚えよう！
覚えよう！
忘れた…
＼がっくし／
忘れよう！
忘れよう！
覚えてる！
＼やったー！／
覚えたいと思ったら、
忘れようとしなければならない！

第三章

やってはいけない「英語勉強法」

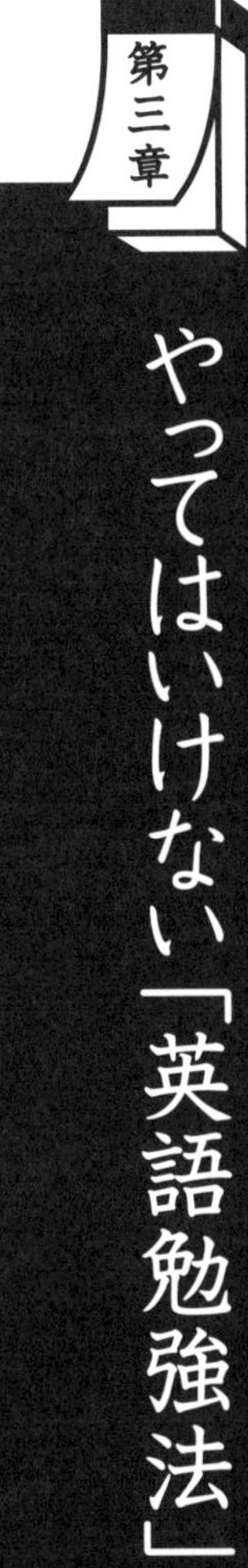

勉強法その15

やってはいけない!

学校の教科書を使って、英語を勉強する

これで天才に!

参考書・問題集を使って、英語を勉強する

「学校では英語の授業がある。だから学校の教科書を完璧にしておけば成績は上がるはずだ」と考えている方がいます。

明らかに間違っています。

学校の授業を受けているだけで英語の成績が上がるのであれば、誰でも東大合格レベルの英語力が身についていることになってしまいます。

実際のところ、学校の授業で習った英語というのは、あまり入試本番では出題されません。

なぜなら、もし英語の教科書に書いてあることが試験に出たら、学校に通っている人は誰でも満点が取れてしまうことになり、試験が成立しないからです。

教科書とは関係ないところから、大学入試の英語の問題は出題されます。

日本史・世界史に関しては、学校の教科書から出題されるケースが多いので、教科書を使った勉強法は正しいです。

ですが英語に関しては、教科書に載っている文章がそのまま出るということはまずありません。

入試に出る問題に関して勉強をしなければ、本番の入試では得点につながりません。

参考書や問題集を使って勉強したところが、本番の入試で出題されるのです。

私自身、学校での英語の授業は、ほとんど聞いていませんでした。

そのため、学校の英語の成績は平均点以下でした。

にもかかわらず、全国模試の英語では1位を取れていました。

入試本番に出るところは勉強するが、入試本番に出ないところは勉強しない。

これが正しい勉強法なのです。

辞書を引いている時間が、英語の勉強のなかでもっとも無駄な時間です。

わからない英単語があって辞書を引いてしまったら、それだけで30秒～1分くらいの時間が経過してしまいます。

1分あれば、1単語1秒で、60回分の英単語の復習をしたほうが、有効に時間を使えます。

辞書を引いて調べるのに1分かかるのであれば、先生に聞いたほうが早いです。

「dog」という単語を辞書で引いて調べている時間があったら「先生、dog ってどういう意味ですか？」「犬ですよ」と答えてもらったほうが、時間短縮につながります。

英語の辞書を引く習慣をなくす。

これだけで大幅な時間短縮につながります。

「いつも辞書を持ち歩きなさい」と言う先生がいます。辞書を持ち歩くのは重いだけです。いまの時代であれば、辞書を引かせたり持ち歩かせるのは、先生による「パワハラ」なのではないかと、思えるくらいです。

では、どうしたらいいのでしょうか。

答えは簡単。

「頭のなかに辞書をつくる」

これが正解です。

まず英単語帳を使って、英単語を暗記します。

その次に英熟語帳を使って、英熟語をマスターします。

その後、英文法の問題集を使って、英文法を完璧にします。

英単語・英熟語・英文法を完璧にしたあとに、英語の長文読解をすれば、辞書を引く機会はゼロになるのです。

では、英単語に関しては、どのくらいまで覚えたらいいのかというと、「志望校の長文問題を読んだときに、1つの長文につき知らない単語が5個以内」という状態が理想です。

「知らない英単語は1つもないぞ」というくらい英単語を暗記してしまったら、それはそれで英単語の勉強のしすぎです。

その時間があったら、英熟語・英文法の時間に回したほうがいいです。

私の場合は、志望校が東京大学と慶應義塾大学でした。なので、「東京大学の長文を読んだときに、知らない単語が5個以内」「慶應義塾大学の長文を読んだときに、知らない単語が5個以内」という状態を高校2年生のときに、すでにつくっておいてから、長文読解に取り掛かりました。

頭の中に辞書を作ってから、長文を読む

長文を読みながら、同時に英単語・英熟語・英文法を覚えよう！

あれもこれも

遅い！

英単語・英熟語・英文法を覚えてから、長文を読もう！

辞書

単語　熟語

文法

スラスラ

長文

速い！

最初に苦労すれば、あとで楽になる！

そのため、高校3年生のときには、辞書を引くことは一度もありませんでした。一度も辞書を引くことなく、全国模試で1位を獲得していました。

いや、逆に言えば「一度も辞書を引かなくていい状態をつくってから、長文読解に取り掛かったので、全国1位を獲得できた」とも言えます。

「知らない単語が5個以内なんて無理だ」と思った方もいるかもしれません。

ですが「瞬間記憶」ができるようになったとしても、無理でしょうか。

英単語を使って「瞬間記憶」の練習をすることで、英単語の暗記と同時に「瞬間記憶」をマスターしましょう。

凡人としてではなく、天才として勉強をするようになれば、最速で成績は上がるのです。

やってはいけない！

配点が高いので、まずは長文のトレーニングをする

これで天才に！

偏差値65になるまでは、英語の長文は一切読まない

入試英語のなかで一番配点が高いのが長文読解です。

「一番配点が高いのだから、長文読解のトレーニングをしなければ」と言って、辞書を片手に長文ばかりを読んでいる人がいます。

時間の無駄です。

なぜなら長文読解は、凡人にとっては、そもそも時間がかかるものだからです。

とくに、英単語・英熟語・英文法の知識が不完全な状態で長文を読むと、内容がわからない状態で読むことになるので余計に時間がかかります。

そのように非効率な時間を過ごすのであれば、いっそのこと、長文は一切読まないほうが、英語の成績は最短距離で上がります。

私は常々**「偏差値65になるまでは、英語の長文は一切読むな」**と言っています。

まず、志望校の入試問題において、知らない英単語が5個以内になるまで英単語を暗記しましょう。**さらに英熟語・英文法も完璧にすれば、偏差値65までは成績が伸びます。**

長文読解をせずに、偏差値65になって初めて英語の長文読解に取り掛かれば、辞書を引かずに長文読解をすることができるようになり、かなりのスピードで長文を読めるようになります。

しかも**「長文に飢えている」という状態で長文を読むので、どんどん内容が入ってくるようになる**のです。野球でも、あえてボールを打つ練習をせずに素振りばかりをして、その後、試合に臨むことで「ボールを打つことに飢えている状態」になり、いい結果を残すことがあります。

英語も同じです。長文に飢えている状態をつくったあとで長文読解をすることで、最速で長文を読み進められるようになるのです。

勉強法 その18

やってはいけない！

長文を読みながら、同時に英単語・英熟語・英文法を学ぶ

これで天才に！

英単語→英熟語→英文法→長文の順で勉強する

非効率な勉強というのは、未熟なうちから「同時に」勉強することです。

長文を読みながら辞書を引いて、知らない英単語を学ぼうとして、見たことがない英熟語をノートにとり、英文法について参考書で調べている人がいます。

一見、同時におこなったほうが効率的に思えますが、完全なる間違いです。

最初から知らない英単語もなく、知らない英熟語もなく、知らない英文法もない状態で長文を読んだほうがスピードは上がります。

勉強するときは、一つひとつ分けて勉強するほうが、スピードは上がります。**英単語を勉強するときは英単語だけ。英熟語を勉強するときは英熟語だけ。英文法を勉強するときは英文法だけ勉強します。**

そうすることで、トップスピードで勉強ができるようになります。

英語の成績を上げるために必要なのは「順番」です。

まず英単語を暗記します。そうすれば、英熟語・英文法を暗記するときに、知らない英単語がない状態で始められるからです。

英単語の次は英熟語です。

英熟語が完璧な状態をつくってから、英文法を勉強します。

そうすれば英文法の例文を見ているときに「これは英熟語だな」というところが事前にわかるので英文法だけに集中できます。

英単語・英熟語・英文法の勉強だけをして、偏差値65を超えたら、長文読解のトレーニングに移る。これが、最速で英語の成績を上げる必勝法なのです。

勉強法 その19

やっては いけない！

英単語帳を、最初のページから覚える

これで天才に！

名詞↓動詞↓形容詞↓副詞の順番で覚える

「英単語帳を使って、瞬間記憶のトレーニングをするのがベスト」と言うと、英単語帳に書いてある単語の最初から覚えようとする人がいます。

たまたま英単語帳の最初に書いてあるからと言って、その英単語から覚えることには意味がありません。

たまに、ＡＢＣ順の英単語帳があって、最初に掲載されている英単語が「abandon（あきらめる）」という英単語の場合があります。

「英単語を勉強しよう！」と意気込んでいるのに、いきなり「あきらめる」という言

葉を目に入れなければいけないわけです。

その英単語帳を開くたびに「あきらめる」と目に飛び込んできたら、「英語の勉強そのものをあきらめたほうがいいのではないか」と、思ってしまいます。

ABC順の英単語帳は、最初のほうで「abandon（あきらめる）」が出てくる可能性があるので、避けたほうが賢明です。

選ぶべき英単語帳は「名詞」から掲載されている英単語帳です。

英単語で一番大切なのは、名詞です。

なぜなら名詞は「説明することが不可能」だからです。

「mother（母親）」という英単語は、ほかの言葉を使って説明できるでしょうか。

「私を産んだ存在で、おばあちゃんの娘」などと言い換えていたら大変です。

「rice（米）」という英単語も説明不可能です。

「日本の主食で、パンではない、粒状（つぶじょう）の白い食べ物」と言い換えるのは苦しいです。

つまり、名詞は、「そのまま丸暗記するしかない」ものなのです。

ごちゃごちゃ言わずに覚えたほうが早いのが、「名詞」だというわけです。

さらに言えば、名詞がわかっているだけで言語というのはある程度成立します。

「お母さん！　ごはん！」

と言われたら、意味が通じますよね？

お母さんも、ごはんも名詞です。２つの名詞だけで意味が通じているわけです。

「お母さん、ごはんを捨ててください」ではなく「お母さん、ごはんをください」だということがわかります。

外国のファストフード店に行って「ハンバーガー、コーク」と名詞を言えば、ハンバーガーとコーラを買うことができます。

名詞さえ覚えてしまえばなんとかなるわけですから、英単語を勉強するときも「知らない名詞はない」というくらい名詞を覚えるのが、最速で成績を上げる秘訣です。

名詞の次に大切なのは「動詞」です。

「何がどうした」の「どうした」の部分だからです。

名詞を覚えたあとに動詞を覚えます。

形容詞は名詞を修飾するものなので、名詞・動詞の次に大切です。

副詞は、動詞・形容詞を修飾するものなので、名詞・動詞・形容詞の次に覚えます。

名詞↓動詞↓形容詞↓副詞の順番で掲載されている英単語帳を使えば、最短で英単語をマスターすることができます。

少なくとも、名詞は名詞、動詞は動詞で分かれている英単語帳を選んで、使うようにしましょう。

英単語↓英熟語↓英文法↓長文読解という順番で勉強するのがいいと言いましたが、**さらにこまかく分ければ、名詞↓動詞↓形容詞↓副詞↓英熟語↓英文法↓長文読解という順番**だということです。

英語を勉強しようと思ったら、最初に取り掛かるのは「名詞を暗記する」ということなのです。

英語の勉強には、正しい順番がある

名詞→動詞→形容詞→副詞

英熟語

英文法

長文

この順番が、最速で成績が上がる!

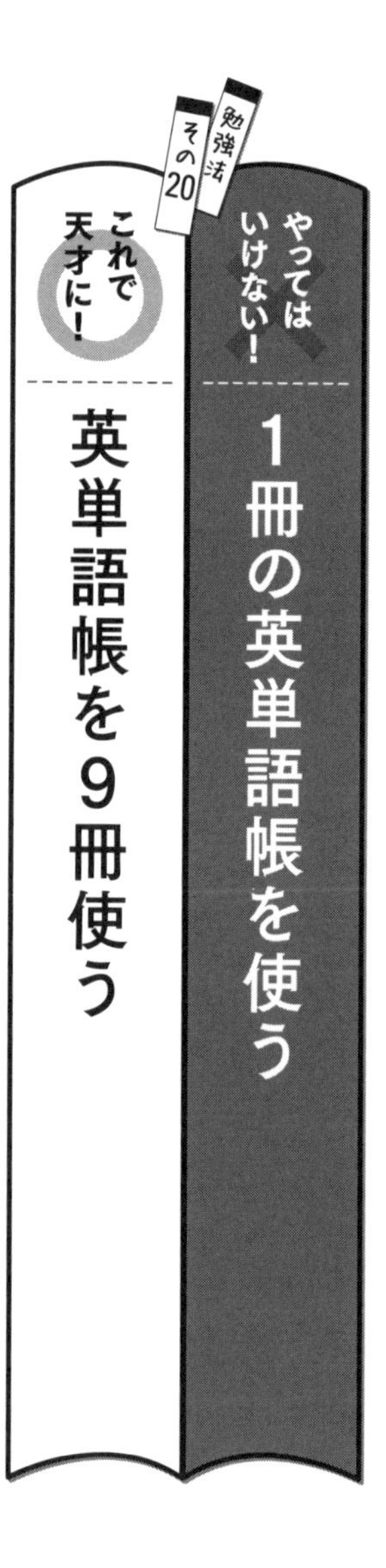

「1冊の英単語帳を何度も繰り返すのが、一番いいはずだ」と思っている人がいます。
これは、やってはいけません。
なぜなら、その英単語帳に掲載されていない英単語が必ず存在するからです。
少なくとも3冊は英単語帳を持っておきたいところです。
理想は9冊です。9冊あれば「抜け」はなくなります。
1冊を繰り返しやると、同じ刺激に頼ってしまうことになります。
「この英単語の次は、この英単語だ」と、順番で覚えてしまうケースもあります。

暗記をするときには、いろいろな角度から刺激を入れたほうが覚えられます。

オススメの英単語帳としては手前味噌になりますが、拙著『1分間英単語1600』（KADOKAWA）です。これは私が3ヵ月かけて、瞬間記憶専用に開発したものなので、是非とも9冊のうちの1冊には加えていただけたらと思います。

個人的に、受験時代に一番優れた英単語帳だと思ったのは『大学入試英単語頻出案内』（上垣暁雄著　桐原書店）です。

「試験に出る、出ない」という基準でつくられた英単語帳が多いなか、さらに一歩進んで「試験に出る英単語のなかで、得点につながるかどうか」という基準でつくられています。

作者の上垣先生は『英語頻出問題総演習』（通称：桐原の英頻）の著者であり、どうしたら試験で高得点を取ることができるかを追求されている天才参考書作家です。

この本は残念ながらすでに絶版で、1万円以上で取引されていることも多いのですが、買う価値がある本なのでなんとか入手していただければと思います。9冊中、この2冊を使うことで、英単語を最速で覚えられるようになるのです。

勉強法 その21

やってはいけない！

例文が書いてある英単語帳を使う

これで天才に！

例文が書いていない英単語帳を使う

「例文があると覚えやすい。例文がある英単語帳を使おう」と言う人がいます。

英単語帳は、英単語を覚えるためだけに使うべきであって、例文を読んでいたら時間の無駄になります。

そもそも「瞬間記憶の訓練」として英単語帳を使うわけですから、例文があったとしても、一切読んではいけません。

例文を読んでしまったら、それだけで10秒くらい時間が経過してしまいます。

それならば、1単語1秒で、10単語分眺めたほうが効率的です。

一番いい英単語帳は、1単語につき、1つの意味しか書いていないものです。

これを**「一語一訳方式の英単語帳」**と言います。

一対一対応が、瞬間記憶にはもっとも適しています。

つまり、

「government（政府、支配、統治）」と書いてある英単語帳はダメです。

「government（政府）」と書いてあるだけの英単語帳がベストということです。

もし2つ以上意味が書いてあったら、ほかの意味を黒のマジックペンで塗り潰して使ったほうが、頭に入りやすくなります。

この「2つ以上の意味があったら、1つだけにする」という作業が、時間がかかります。

なので、そもそも1つの意味だけが書いてある英単語帳を使うというのが、瞬間記憶のトレーニングには適しているのです。

やってはいけない！

市販の英単語帳だけを使う

これで天才に！

自作の英単語帳をつくる

「英単語に関しては、市販の英単語帳を買えばＯＫだな」と考えがちです。

実際には、自作の英単語帳をつくる必要があります。

というのも、９冊の英単語帳を使っていると「この英単語は、なかなか覚えられないな」「９割方覚えたが、１割だけ覚えていない英単語帳がある」ということが起きるからです。

瞬間記憶のトレーニングが進んでいくと、９割知っている英単語帳を使うよりも、覚えたい英単語だけが書いてある英単語帳を使いたくなります。

その際に、自作の英単語帳をつくることになります。

ちなみに、自作の英単語帳は、1冊だけつくるのではありません。**名詞用で1冊、動詞用で1冊、形容詞用で1冊、副詞用で1冊の、最低4冊は必要です。もちろん名詞・動詞に関しては、数が多いので2冊以上になるはずです。**

自作の英単語帳でも一対一対応が原則です。どうしても2つの意味が必要な単語であれば、これも一対一対応にしていく必要があります。

たとえば「book（本、予約する）」という、2つとも大切な意味の英単語があります。

その際には、

「book（本）」

「book（予約する）」

このように一対一対応にして、名詞用の単語帳と動詞用の単語帳に別々に書いたほうが、瞬間記憶をしやすくなります。

最初は9冊の英単語帳を使って瞬間記憶のトレーニングをしていくことになります

が、だんだん記憶している英単語が多くなってくるはずなので、市販の英単語帳ではなく、自作の英単語帳のほうが瞬間記憶をしやすくなってきます。

その際には、色分けした付箋（ふせん）を使うとより瞬間記憶が捗ります。

赤の付箋：名詞【例】society：社会
緑の付箋：動詞【例】govern：統治する
黄の付箋：形容詞【例】beautiful：美しい
青の付箋：副詞【例】rarely：滅多に〜ない

として、それぞれの自作の英単語帳に貼ります。

その際に英単語帳の表紙の色も、記憶の段階に応じて4色に色分けされたものを使うことが大切です。

赤の表紙の英単語帳：0秒で言える英単語
緑の表紙の英単語帳：3秒考えて言える英単語。うろ覚えの英単語
黄の表紙の英単語帳：見たことはあるが、意味がわからない英単語
青の表紙の英単語帳：見たことも聞いたこともない英単語

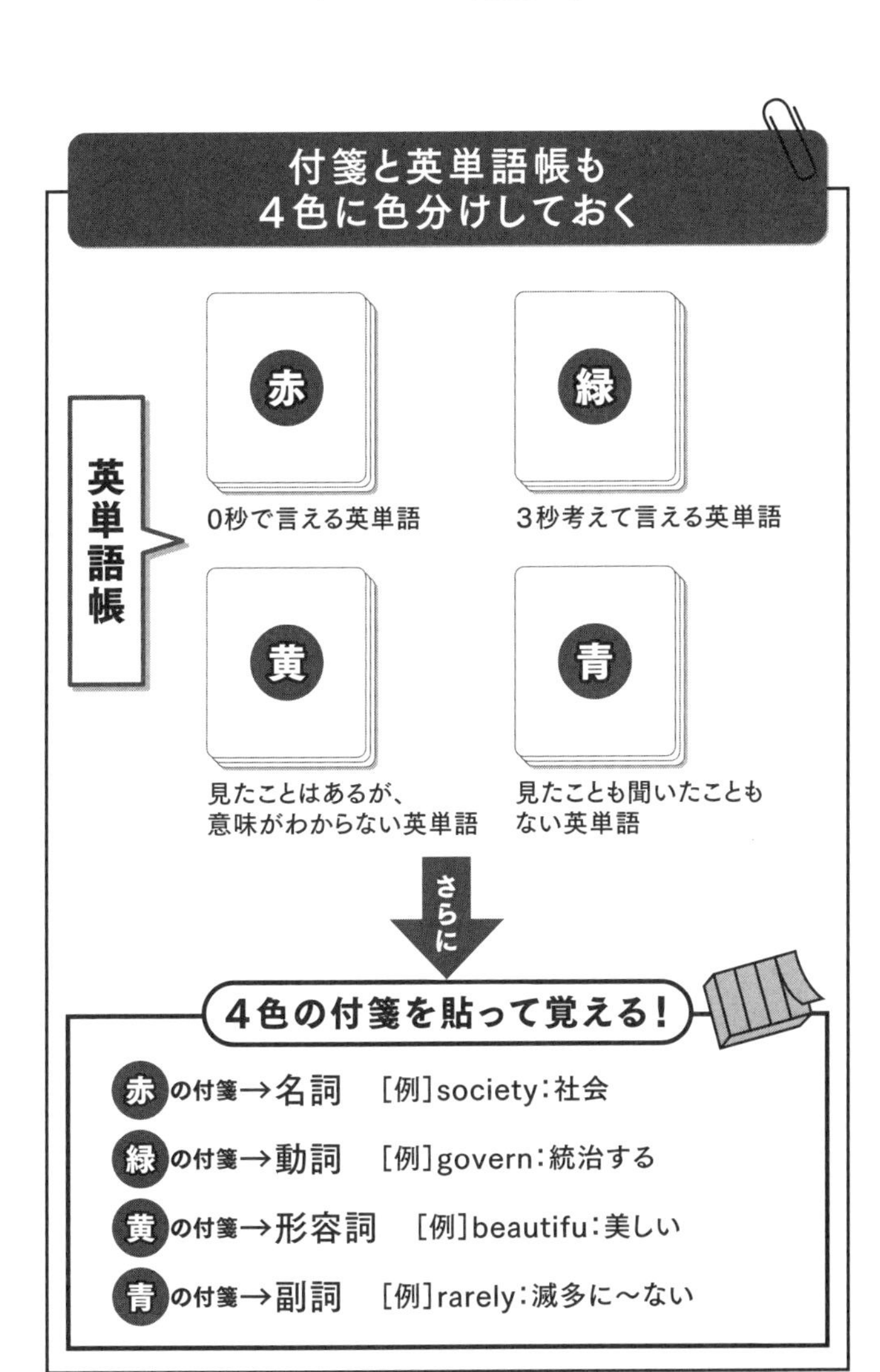
付箋と英単語帳も
4色に色分けしておく
英単語帳
赤
0秒で言える英単語
緑
3秒考えて言える英単語
黄
見たことはあるが、
意味がわからない英単語
青
見たことも聞いたことも
ない英単語
さらに
4色の付箋を貼って覚える！
赤の付箋→名詞　[例]society：社会
緑の付箋→動詞　[例]govern：統治する
黄の付箋→形容詞　[例]beautifu：美しい
青の付箋→副詞　[例]rarely：滅多に〜ない

この4種類の英単語帳に、英単語と日本語の意味が書かれた付箋を貼っていきます。

勉強の順番としては、

①緑の英単語帳に書かれている英単語を、赤に昇格させていく（赤のものは、完全に暗記しているのでもう見ない。見るとしても入試の1ヵ月前）

②黄色の英単語帳に書かれている英単語を、緑に昇格させていく

③青の英単語帳に書かれている英単語を、黄色に昇格させていく

この順番を意識し、瞬間記憶のトレーニングを兼ねながら英単語の暗記をしていくと、最速で英単語をマスターすることが可能です。

すべての英単語が赤に昇格したときには、「志望校の試験で出題される長文のなかで、知らない単語が5個以内」の状態に、必ずなっているのです。

勉強法 その23

やってはいけない！

長文の全訳を書く

これで天才に！

長文を1行1秒で読む

「長文の全訳を書いてきてください。宿題です」と、英語の先生が宿題を出すことがあります。これは英語の先生によるパワハラでしかありませんので、即刻そういう先生の言うことは聞かないようにしましょう。

「自分の授業のなかだけでは、生徒を偏差値70にできません」という三流の教師の典型です。

全訳は時間の無駄です。絶対にやってはいけません。

なぜなら、書いている時間が無駄だからです。

英語の勉強をしているわけであって、日本語の勉強をしているわけではないのですから、英語の訳を「書く」という行為は意味がありません。

知っているならば書けますし、知らないならば書けないのです。

長文の全訳は、宿題として添削するときに学校の先生にとって読みやすいというだけであって、生徒側にはまったくメリットはありません。

「I go to school」という英文があって「私は学校に行きます」と書いていたら、それだけで6秒が無駄になります。

長文の全訳を書くのではなく、1行1秒のペースで長文を読むのがオススメです。

「そんなスピードでは読めない」と思う人もいるかもしれませんが、すべての英単語が0秒でわかり、すべての英熟語が0秒でわかり、すべての英文法が0秒でわかっている状態ならば、1行1秒のペースで読めるのが当たり前になります。

もし1行1秒で読めないのであれば、それはまだ、英単語・英熟語・英文法のトレーニングが足りないというだけなのです。

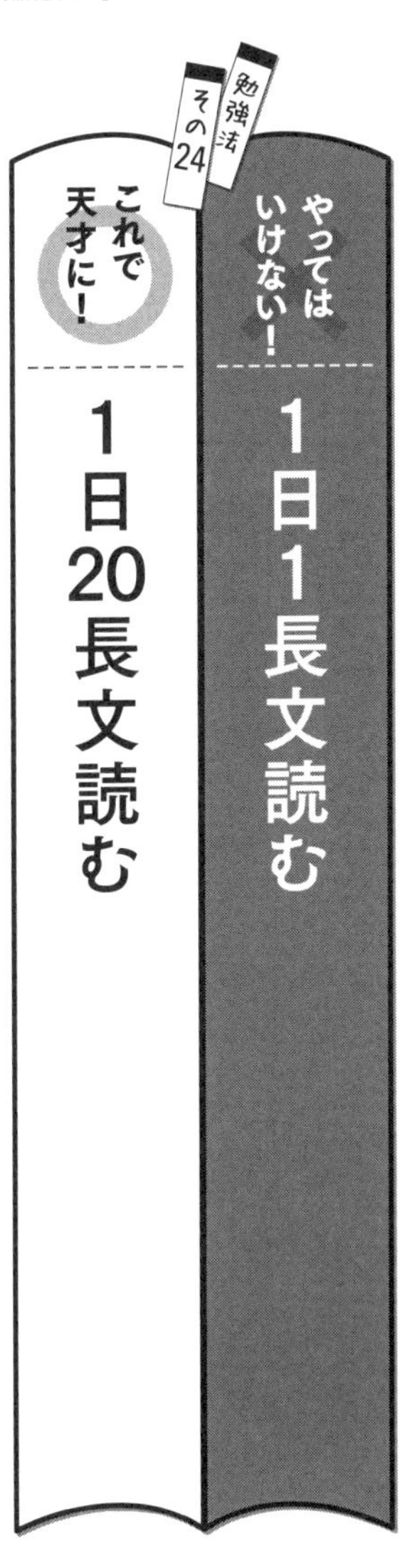

「1日1長文読むのを習慣にしましょうね。英語の長文に慣れることが大切です」と言う先生に出会ったことがありました。

ぬるい、ぬるすぎます。

1日1長文しか読まなければ、長文読解が得意になることはありません。

いろいろな英文に接することで「ああ、この熟語が出てきたぞ」「英文法の問題でやったものがまた出ている」と、復習を兼ねることができます。

1日20長文が理想のノルマです。

1日20長文のペースで読むと「覚えていた英単語が、また出てきたぞ」と思えたり「この文脈でこの英単語が使われるんだな」ということもわかります。20の違う刺激を脳に与えることができるようになるというわけです。

ちなみに、時間としては「1長文5分」が理想です。

もちろん問題を解く時間も込みで5分です。60行の長文であれば、1行1秒で、本文を読む時間は1分。問題を解いている時間は4分ということになります。

問題数が多かったりすると1長文5分で終わらないこともありますが、長くても10分で1長文が終わるようにします。

1長文5分で、20長文だと100分なので、1時間40分。5分以内に読めてしまう長文もあったりするので、およそ1時間30分が、1日に英語の長文問題に費やす時間となります。

1日20長文読んでいて、「現存する問題集の発行スピードと、自分がこなす長文のスピードで、自分のほうが追い抜いてしまったらどうしよう」ということを、受験時代には心配したくらいです。

結局、英語の長文は無限にあったので、1日20長文でも、まだまだ読むべき長文は存在しました。なのであなたも、安心して1日20長文を読んでいただいて大丈夫です。

「1日20長文なんて、絶対に無理だ」と思うかもしれません。

確かに凡人には不可能でしょう。ですが天才ならば、可能なはずです。

天才として勉強するのですから、1日20長文はごく当たり前です。

天才として英語を勉強するためには順番があります。

まず、英単語を1単語1秒で暗記をしながら瞬間記憶のトレーニングをします。

そして、志望校の試験で知らない英単語が5個以内という状態をつくります。

次に英熟語を暗記し、その次に英文法を完璧にします。

その状態になったら、1行1秒で、1日20長文を読み、同時に問題にも答えていきます。

そうすると「知らない問題というのは、ほとんど出題されない」という状態ができあがります。

全国模試1位レベルというのは、「基本的に、知らない問題は出題されない」というのが当たり前です。知らない問題が出題されるというのは、こなしている問題数が圧倒的に少ないから起きる現象です。

英単語を使った瞬間記憶トレーニングが、天才になるための第一歩です。

最初に英単語、さらに言えば「名詞」を1単語1秒で暗記することからスタートして、あなたは天才に生まれ変わるのです。

勉強法 その25

やってはいけない！
英単語を、語呂合わせで覚える

これで天才に！
英単語は、単純反復記憶で覚える

記憶には2種類あります。

① 単純記憶（単純反復記憶）
② イメージ記憶（意味記憶）

①の単純記憶は、別名「単純反復記憶」と呼ばれます。
何度も繰り返し脳に刷(す)り込まれることで、記憶が太くなっていきます。

②のイメージ記憶は、別名「意味記憶」とも呼ばれます。
映像のイメージとともに覚えた記憶なので、なかなか忘れないという特徴がありま す（意味がないものでも、イメージとともに覚えてしまうケースがあることから、私 は意味記憶ではなく、イメージ記憶と呼ぶようにしています）。

「公園で犬に噛まれたので、公園は嫌いだ」というように、体験と結びついた記憶は より鮮明に脳に定着します。

この2つの記憶には、メリットとデメリットがあります。

単純記憶のメリットは、

（1）思い出すときに、0秒で思い出すことができる
（2）大量に覚えられる

という2つです。

「society：社会」という英単語を何度も繰り返して覚えたら、何も考えなくても「society ＝社会」と0秒で、脳内で変換されます。

逆に単純記憶のデメリットは、何度も繰り返して覚えなければいけないということです。しかも1日では無理で、何十日も繰り返すことで暗記できます。細い糸が何十本、何百本と紡(つむ)がれて、糸が太くなっていくような感覚です。

次にイメージ記憶は「思い出すのに時間がかかる」というデメリットがあります。
また、イメージ記憶は、大量に覚えることにも適していません。というのも、1つの事柄に関して、イメージを植え付けなければいけないので、記憶するまでに1分くらいはかかってしまうからです。

その代わり、それを補(おぎな)って余りあるメリットがあります。

イメージとともに覚えられるので、1年経っても忘れません。

忘れにくいという、たった1つのメリットが、イメージ記憶の特徴なのです。

勉強法 その26

やってはいけない!

「気合いで暗記すればなんとかなる」と思っている

これで天才に!

単純記憶とイメージ記憶を使い分けている

勉強をするときには、これは単純記憶で覚えるべきなのか? これはイメージ記憶で覚えるべきなのか? と分類することが大切です。

たとえば英単語は、単純記憶で覚えます。

数千個の英単語を覚えなければならず、なおかつ0秒で思い出さなければいけないからです。

「cat」という単語を覚えるときに「キャッキャキャッキャッと猫が叫ぶ」と語呂合わせで覚えてしまったら、試験の文章のなかに「cat」という単語が出てくるたびに、脳で「キャッキャッキャッと猫が叫ぶ」と想起することになってしまいます。

これは制限時間がある試験のときに不利になります。

一度、語呂合わせの英単語帳を見てしまったことがあります。

そのときに覚えてしまった英単語が「deny：否定する」という英単語です。「(試験に) 出ない、出ないと否定する」と覚えます。

ただ困ったことに、denyという単語は頻出単語で、文章のなかに頻繁に出てくるのです。「出ない、出ない」と覚える英単語が試験によく出てしまうというわけです。

denyという英単語が出てくるたびに、文章を読むスピードが落ちたので、いかにこの語呂合わせを忘れるかということで、とても苦労しました。

日本史・世界史も、覚えることが大量にあるので(8400問分の1問1答を覚えなければいけません)、単純記憶で覚える必要があります。

逆に、イメージ記憶で覚えなければいけないものが2つあります。

それが、

① **古文単語**
② **歴史の年号**

です。

古文単語は覚えるべき数が少なく、さらには出題されたときに違和感を覚えなければ得点につながらないので、語呂合わせは最適です。

「やがて」という古文単語があります。

これを古文単語だと知らないと「やがて」という現代語のまま、読み進めてしまいます。

「矢が手に刺さり『そのまま』『すぐに』病院へ」と語呂合わせで覚えます。

古文単語の「やがて」には、「そのまま」という意味と「すぐに」という意味があり、その場面では、どれなのかという問題が出題されます。

一対二対応（一対多対応）のときには、語呂合わせは効果を発揮します。

一対一対応は瞬間記憶で、単純記憶を極めていけばいいのですが、単純記憶は一対二対応（一対多対応）には、適していません。

古文単語は一対多対応が多く、さらには出てくるたびに古文単語から現代語に変換しなければいけないので、単純記憶ではなく、イメージ記憶（語呂合わせ）で覚えるのが効果的です。

日本史・世界史の年号も限りがあります。**覚えるとしても1000個以内です。なので、イメージ記憶が適しています。**

鉄砲伝来は1543年なので「鉄砲伝来、一発ゴツン、尻から3発」と覚えます。

イメージ記憶の場合は、主人公を自分にするとより覚えやすいので、自分が1発ゴツンとなぐられて、尻から3発、弾が発射されるイメージを持つと忘れません。

世界史では「1526年、パーニーパットの戦い」という出来事があります。

「以後風呂入らず、パーニーパット」と覚えます。

1526年から、2000年以降の500年間、自分が風呂に入っていないというイメージを思い浮かべます。

「相当汚いぞ」と思えたら「1526年、パーニーパットの戦い」は忘れません。

私もこの方法で、18歳のときに覚えた語呂合わせが40歳を越えても頭に残っているのですから、イメージ記憶の力は相当なものです。

ただし語呂合わせを覚えるのには、1つにつき1分はかかります。

頭に思い浮かべて主人公を自分にしていくのには、時間がかかるからです。

その代わり入試本番になっても、20年後になっても忘れにくいというメリットがあります。

古文単語と歴史の年号は、イメージ記憶（語呂合わせ）で。

英単語（英熟語・英文法）、歴史の事項に関しては、単純記憶を使い、脳の力を最大限に引き出すことで、天才として勉強できるのです。

単純記憶とイメージ記憶を組み合わせて、暗記を効率化する

①単純記憶→何度も繰り返し脳に刷り込む

メリット 大量に覚えられる。0秒で思い出せる

デメリット 何日も繰り返して暗記する必要がある

1. 英単語
2. 日本史、世界史

②イメージ記憶→映像や体験とともに覚えたもの

メリット イメージとともに覚えるので、1年経っても忘れない

デメリット 思い出すのに時間がかかる

1. 古文単語
2. 歴史の年号

第四章

やってはいけない「ノート術」

やってはいけない！ ノートを書くときには、黒ペンを使う

これで天才に！ ノートを書くときには、青ペンを使う

ノートを書くときに、何も考えずに黒ペンを使っている人がいます。

これは、もったいないです。

せっかくですので青ペンを使いましょう。

「青で書くだけで、1・1倍記憶力が上がる」と考えてください。

青は「寒色」と呼ばれます。

逆に、赤は「暖色」と呼ばれます。

寒色は、副交感神経に作用するため、冷静になって集中力が増します。

暖色は、交感神経に作用するため、興奮状態になります。

かつて武田信玄は、武田軍の鎧（よろい）の色を赤にして、相手に血の色を想起させ、冷静な判断をさせないようにして勝利を収めたと言われています。

青は集中できる色なので、青ペンを使うだけで、無意識のうちに集中状態に入ることができます。

私が使っているのは、パイロットのフリクションボール（青0・7ミリ）です。

ペンの持つところも青になっているので、ペンを見るだけでも集中状態がつくれます。

色の持つ力は絶大です。

かつて犯罪が多発する場所で、壁の色を青にしたところ、犯罪を起こそうとする人が青を見て冷静になるので、犯罪が激減したという話があります。青い灯火にするだけでも犯罪抑止効果があります。

逆に、赤は「赤提灯（ちょうちん）」と言われるように、居酒屋・中華料理屋などで使われる色です。赤のテーブル、赤の店内にすることによって、興奮状態になって判断力が低下します。そうすると、ついついビールを頼んでしまったり、必要のないものまで注文することが多くなるので、お店としては売上アップにつながります。

青いテーブルだと食欲がなくなり、冷静になってしまうので、レストランの売上は下がってしまいます。

プロ野球の元・中日ドラゴンズ谷繁元信(たにしげもとのぶ)捕手は、青のキャッチャーミットを使っていました。

ピッチャーが、投げる前に青のキャッチャーミットを見ることで、集中力を高めて、冷静にコントロールができるようにするためです。

逆に、スポーツにおいて集中力を削ぐ色は「黒」だと言われています。

黒いものに目がいってしまうため、集中力が低下するのです（ハエもゴキブリも黒ですので、人間は見た瞬間にパニックになります）。

なので、野球ではピッチャーが黒いグローブをつけると、バッターが黒いグローブを見てしまって集中できなくなるので、バッターの打率が下がると言われています。

バスケットボールでも黒いユニフォームのチームがありますが、これだと敵も味方も黒を見てしまい、両チームともに集中力が削がれるという結果になります。

野球においては、ピッチャーのグローブは黒で、キャッチャーミットが青というのが、色彩心理学的にはもっともいいということになります。

せっかく青は集中力が増す色だとわかっているのですから、普段から勉強するときには青ペンを使う習慣をつけましょう。

100円でできて、集中力が1・1倍増すわけですから、いまこの瞬間にでも、やらない手はないのです。

ボールペンで、0・5ミリの芯を使っている人がいます。

もったいないです。

せっかくなので0・7ミリの芯を使いましょう。

書かれている文字が1・4倍太くなれば、1・4倍記憶も太くなります。

「そんなこまかいことを……」と思うかもしれませんが、こういうこまかいことこそが大切です。

生まれつきの能力に関係なく0・5ミリを0・7ミリにするだけで、記憶する力が

1・4倍も増強されるわけですから、絶対にやるべきです。

かつては、小学校では鉛筆の太さはBが基本でした。
いまは2Bが主流になってきています。
どうせ文字を書くのであれば、少しでも濃く、太いほうが記憶が定着しやすいというわけです。

たまにHBやHの芯を使って文字を書いている人がいますが、勉強するときには、まったく意味がありません。

濃さならば2B、太さは0・7ミリに統一しておくことで、まず道具においてだけでも、天才になってから勉強をしたほうがいいのです。

小学校のときはノートを使うのが基本でした。

ですが、ノートには弱点があります。

それは、**1枚ずつ切り取れない**というところです。

もし「この部分はもう二度と見ないな」という箇所があっても、そのまま残ります。

ルーズリーフであれば、必要な部分だけを持ち歩くことができます。

学校で江戸時代についての授業があり、塾でも江戸時代の授業があった場合、ルーズリーズであれば、まとめることができます。

ノートでは、学校のノートと塾のノートで別々になってしまいます。

最終的に「瞬間記憶」で、1枚のルーズリーフを0・5秒で見返していくことで、最速で暗記をしていくことができるようになります。

その際に、ノートだと余計な部分が多すぎて「瞬間記憶」には適さなくなります。

「すべては、瞬間記憶のために」というのが正しい勉強法です。

瞬間記憶に適さないノートの取り方はやめて、瞬間記憶がしやすいようなノートの取り方にしていくことが、正しいのです。

ノートをやめて、ルーズリーフにする。

これが、ノート術の第一歩なのです。

もっとも瞬間記憶に適しているルーズリーフがあります。

それが、A4のルーズリーフで、7ミリ幅で37行になっているものです（私は、マルマンの『L1100』という名称のルーズリーフを使っています）。

この幅、それでいて37行になっているおかげで、とても瞬間記憶がやりやすくなっています。

5ミリ幅のルーズリーフだと文字が小さすぎて、瞬間記憶には適しません。

ある程度大きく、文字を書き込みやすいものでなければいけないので、7ミリ幅の

37行がもっとも使いやすいのです。

このサイズのルーズリーフに、青のフリクションボール（0・7ミリ）で、覚えたいことを書き込んでいきます。

私は、瞬間記憶のために、かなりの試行錯誤を繰り返しています。

どのくらいの文字の大きさがいいのか、一度にどのくらいの分量ならば瞬間記憶が可能なのか、などです。

結論としては「1ページに最大12個、覚えることを書く」というのが、瞬間記憶の限界です。

12個以上のものは、0・5秒で処理できません。

「1ページにつき、覚えたいことが4個までというのは処理が可能で、慣れてきても12個が限界」というのが私の経験則です。

37行だと、2行置きに書いても12個書けます。

瞬間記憶のためには、7ミリ幅×37行のA4サイズのルーズリーフこそ、鉄板なのです。

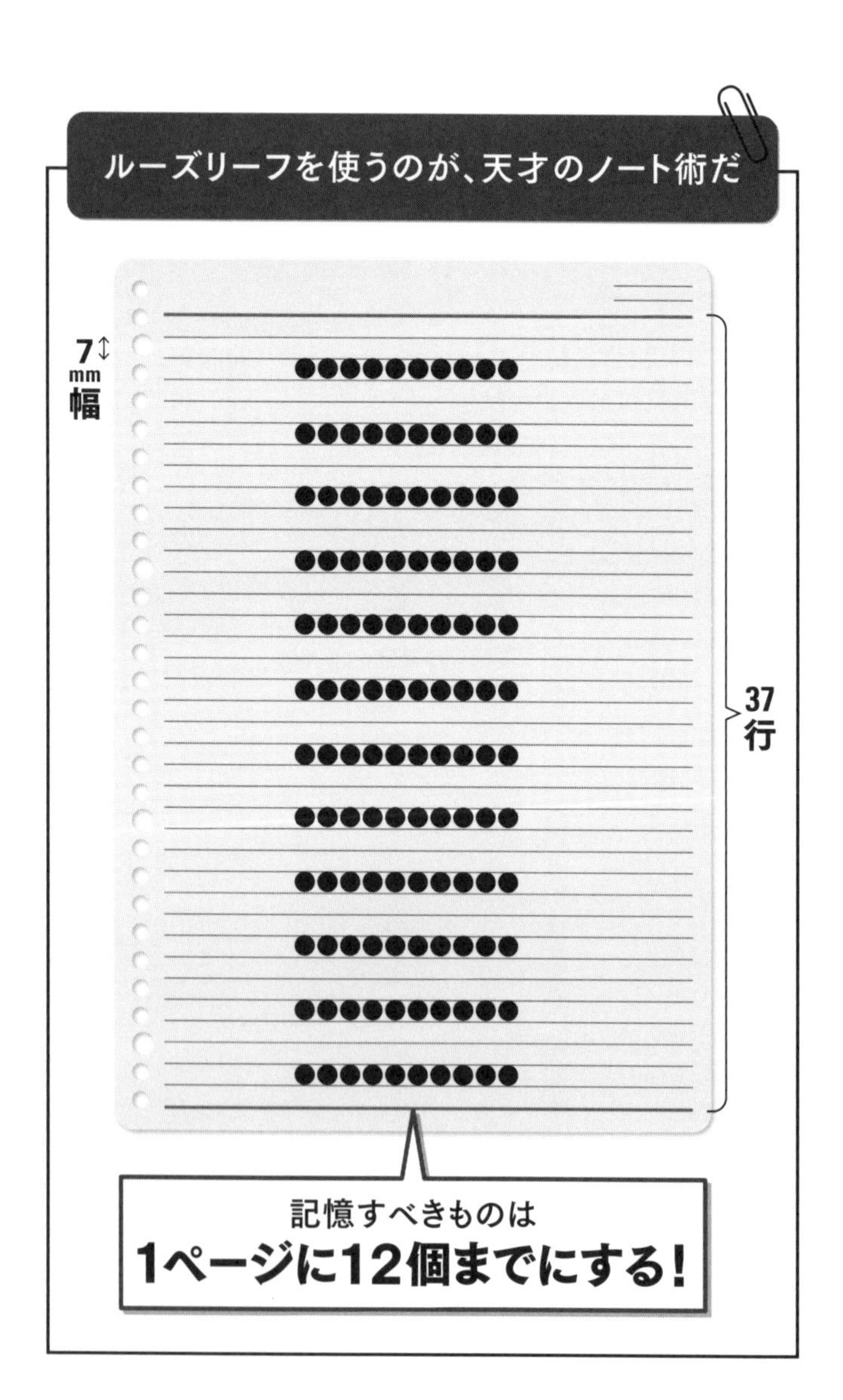
ルーズリーフを使うのが、天才のノート術だ
7mm幅
37行
記憶すべきものは
1ページに12個までにする！

やってはいけない！
ルーズリーフは、両面とも使う

これで天才に！
ルーズリーフは、片面だけ使う

ルーズリーフは片面だけを使います（左に穴が空いている状態）。

両面を使うのは絶対にダメです。

というのも、片面に「豊臣秀吉」について、裏面に「徳川家康」ついて書いてしまったら、あとでまとめられなくなってしまうからです。

片面に豊臣秀吉について書いていて「ここからは、徳川家康についてだな」と思ったら、別のルーズリーフにします。

そうすると豊臣秀吉だけ、徳川家康だけ、といったかたちでまとめられるようになります。

最終的に「片面に、覚えたいことが12個以下書いてある状態」にしていくのが瞬間記憶をするための正しいノートの取り方です。

「ルーズリーフの片面だけを使う」というのは、すぐに習慣化できます。

50枚入りのものを、常に300枚分くらい手元に置いておけば、足りなくなることはないので安心です。

ノートではなく、ルーズリーフ。

両面ではなく、片面だけを使う。

瞬間記憶という必殺技のために、ノートの取り方も変えていかなければいけないのです。

勉強法その32

やってはいけない！

1行も空けずに、ごちゃごちゃと書く

これで天才に！

2行空けて、ゆったりと書く

ルーズリーフがもったいないといって、1行も空けずに、ごちゃごちゃとノートを取っている人がいます。

それだと、ルーズリーフを1枚0・5秒で見返したときに何も頭に入ってきません。

ゆったりとノートを取るというのは、瞬間記憶をしやすくするためには当然です。

ではどうしたら、ゆったりとしたノートになるのかというと「2行空けて書く」ということを心がけることです。

「それではスカスカになってしまって、ルーズリーフがどんどん減ってしまう」と思う方もいるでしょうが、それでいいのです。

瞬間記憶のためには、スカスカのノートをつくる必要性があります。

なぜ2行空けるのかというと、ハサミで切り取るときに、1行しか空いていない状態よりも、切りやすいからです。

いずれルーズリーフは切り貼りをすることになります。完璧に覚えているところはもう必要ないので、切り取って、覚えたいところだけを瞬間記憶したくなるからです。

切り取ることまで考えると、2行空けて書くのが正解です。

2行にまたがる文章のときは、1行だけ空けます。

たとえば、

太閤検地とは、豊臣秀吉がおこなった検地であり、

太閤とは、関白の職を子に譲った人の呼び名である。

というように、行をまたぐ場合は1行空けます。

豊臣秀吉がおこなったのは、太閤検地である。

秀吉は太閤検地を基礎とした兵農分離によって武士、農民、町人の身分を決め、

全国民を支配するための制度を創設した。

というように、違う文章になる場合には2行空けて書きます。
このくらいゆったり書けば、あとから見返しやすいノートになります。
2行にまたがる場合は1行空ける。文と文の間は2行空ける。
いずれルーズリーフ1枚を0・5秒で復習するために、ノートをつくっておくというのが、正しいノートの取り方なのです。

勉強法その33

やってはいけない!

ルーズリーフは、そのまま使う

ルーズリーフは、3分割して使う

ルーズリーフの片面をそのまま使うのではなく、さらに工夫を加えます。

左から3・5センチ、右から3・5センチのところに、縦に線を引くのです。

左の部分はチャプターとして使います。

「江戸時代」と書いたり「豊臣秀吉」と書いたり〝いま、何について書かれているのか?〟を書くのが左の部分です。

右部分には〝行動すること〟を書きます。

「江戸時代に関する問題集を2冊買う」

「教科書の江戸時代のところを見直す」

など、行動することを書いていきます。

真ん中の部分は、普通のノートとして使います。

こうすることで、あとで切り貼りがしやすくなります。

江戸時代は江戸時代でまとめやすくなりますし、織田信長は織田信長でまとめやすくなります。

右側の「行動すること」の部分は、行動したら二重線で消していきます。

ノートを取っていると「これをしたほうがいいな」ということを思いつきます。

それをノートの真ん中の部分に書いてしまったら、あとでまとめるときに、その部分だけ消さなければいけなくなるので、面倒くさいのです。

最初からルーズリーフを3分割して使う習慣をつけましょう。

そうすることで、瞬間記憶に最適なノートの取り方になるのです。

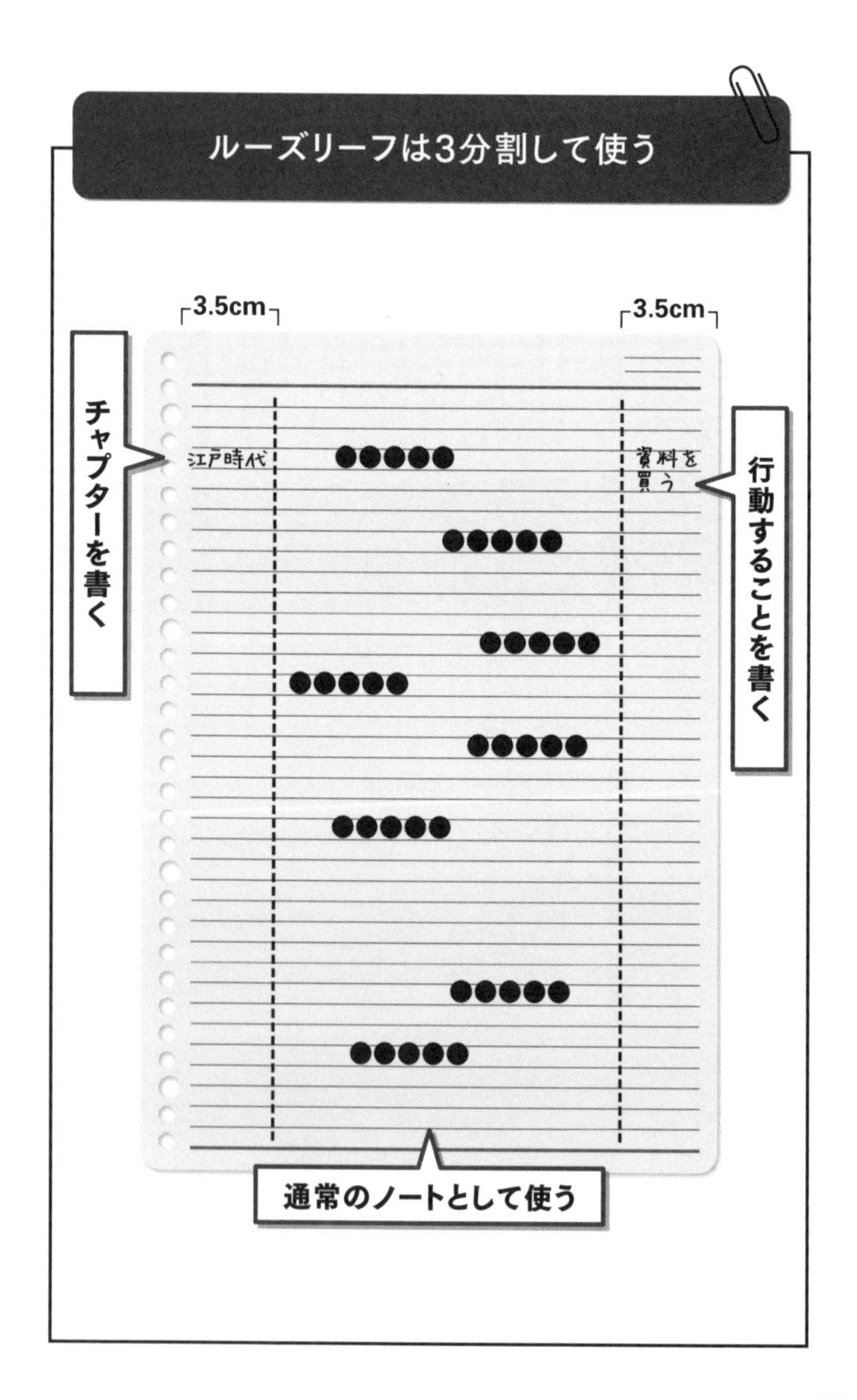
ルーズリーフは3分割して使う
3.5cm
3.5cm
チャプターを書く
江戸時代
資料を買う
行動することを書く
通常のノートとして使う

第五章

やってはいけない「読書法」

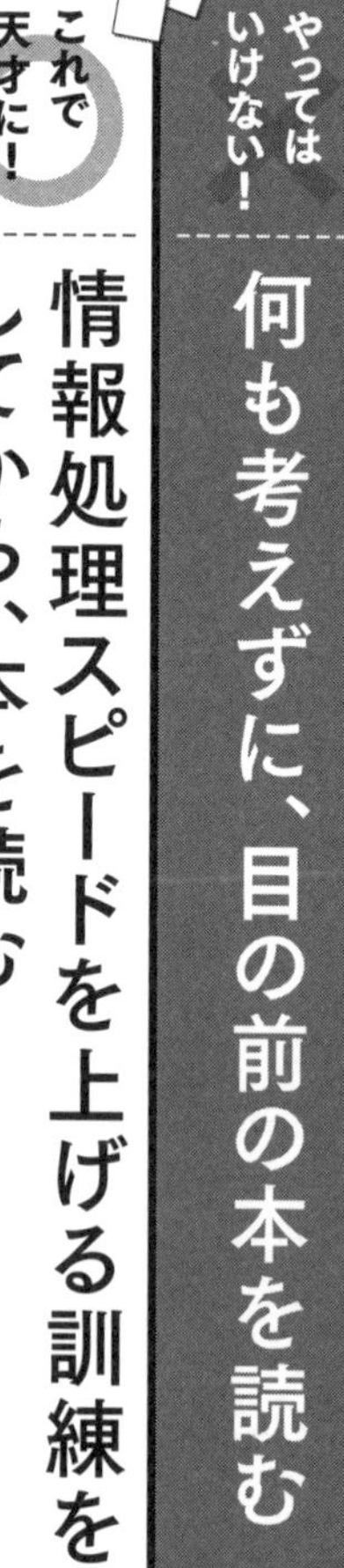

「目の前に本がある」

ただそれだけの理由で、多くの人はいきなり本を読んでいます。

それではダメです。

情報処理スピードを上げるトレーニングをしてから、本を読みましょう。

情報処理スピードを上げる訓練をせずに文章を読んでいたら、情報処理スピードが遅いまま、時間が経過していきます。

よく電車のなかで、同じページを5分くらいかけて読んでいる人がいます。

ページをめくっていないので「寝ているのかな」と思ったら、一生懸命読んでいるのです。

現代は情報化社会です。

情報化社会において、情報処理スピードが遅いというのは致命的です。

8時間かけて、参考書を1冊読み終わらない人は多いです。

いや、参考書を最初から最後まで、1日で読み切ろうとする発想さえない方がほとんどです。

そんななか、1冊の参考書を1分で処理することができたらどうでしょう。

10倍どころか、100倍の情報処理スピードを手に入れることができます。

① 情報処理スピードを上げるトレーニングをする

② 本を読む

このツーステップで読書という作業に取り掛かるのが、もっとも効率的なのです。

勉強法 その35

やってはいけない！

最初に勉強時間を増やそうとする

これで天才に！

1時間あたりの「回転数」を上げようとする

「どうしよう、時間がない！　このままでは志望校合格は難しい。そうだ、勉強時間を増やせばいいんだ」と考える方は多いでしょう。

勉強時間はもちろん多いに越したことはないのですが、それよりも重要なのが「回転数」という考え方です。

数学において、1時間で1問しか解けない人がいます。

1時間で4問解くことができたら、回転数は4倍です。

1時間で6問解くことができたら、回転数は6倍。10問解くことができたら、回転数は10倍ということになります。

つまり、1時間で1問しか解けない人と、1時間で10問解ける人がいたら、同じ1時間でも10倍の密度の違いがあるということです。

回転数を上げていくことが、勉強ができるようになるということです。

英単語をほとんど知らないまま英語の長文を読んだら、辞書を引きながらの作業になるので、90分で1長文こなせるかどうかということになります。

英単語・英熟語・英文法を完璧にしてから、1長文5分で、1日20長文を100分でこなしたとしたら、回転数は20倍になります。

単純に勉強時間を増やせばなんとかなるのではなく、回転数を上げていくことが、成績を上げる秘訣なのです。

進学校の生徒が、夏休みまで部活に専念していて、9月から受験勉強を始めて東大に合格するというケースがあります。

なぜ、こういうことができたのかというと、彼らはそもそもの回転数が高かったからです。

ほかの人が1時間で1問を解いているのに、彼らが1時間で10問の問題を解けば、回転数10倍の状態で勝負できます。

勉強ができるようになるには、

① 回転数を上げる

② 勉強時間を増やす

という順番が大切です。

回転数を上げると、1時間あたりの情報処理スピードが上がります。

そのあとで勉強時間を増やすのです。

私の場合は、高校2年生のときに瞬間記憶をマスターして、回転数を上げ、高校3年生のときには、1日20長文をこなせるようになっていました。

高校2年生のときは回転数を上げる作業をメインにして、高校3年生になって勉強時間を1日4時間から8時間に増やすということをしました。

そのおかげで、全国模試1位の成績を手に入れることができたのです。

「勉強はラストスパートが大切だ。本番3ヵ月前から、がんばればいいんだ」と言っている方がいます。

回転数が上がっている状態のラストスパートには意味がありますが、回転数が少ない状態のラストスパートは、止まっている状態とあまり変わらないので、ラストスパートにはなっていないことに気づく必要があります。

情報処理スピードを上げる訓練をせずに、いきなり参考書を読んだり、勉強を始めたりしている人がいかに多いことでしょう。

回転数を上げていくだけで、同じ1時間のなかでも、まったく別の時間の流れを体感することができるのです。

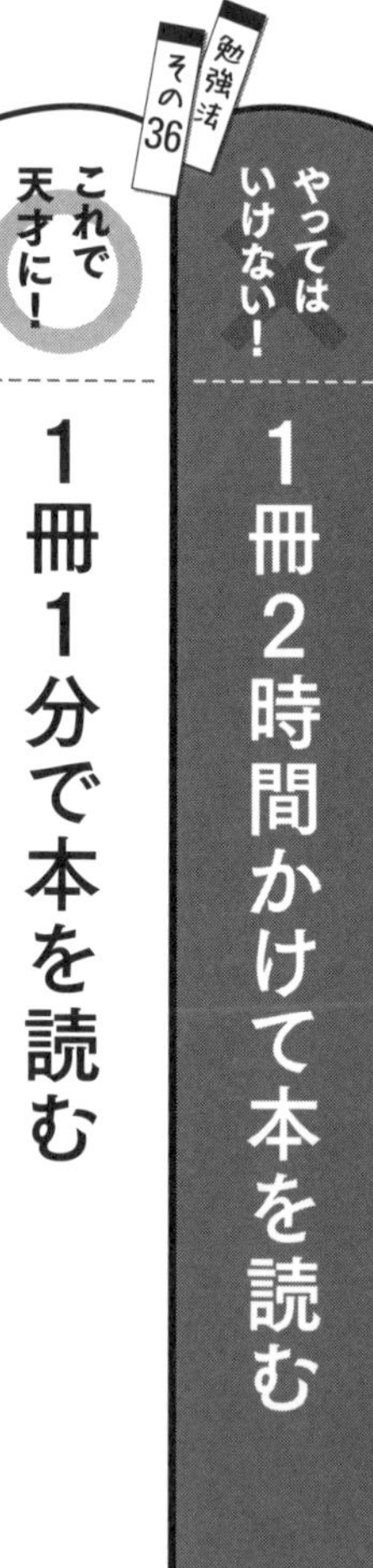

本を1冊2時間かけて、じっくりと読んでいる人がいます。

遅すぎます。

「私は速読の訓練を受けたことがあるんだぞ。1冊10分で読めるんだ」と自慢をする人にも会ったことがありますが、1冊10分の読書スピードのことを、私は遅すぎて「ハエが止まるスピード」と呼んでいます。

1冊1分で読む（200ページの本の場合）。

これが、天才の読書スピードです。

1冊1分と1冊2時間では、120倍のスピードの違いがあります。

「1冊1分なんて、無理だ。できるわけがない」と思った方もいるかもしれません。

では、お聞きします。

「あなたは、1冊1分で読むためのトレーニングを、6ヵ月間したことがありますか？」

こう聞かれたら、ほとんどの方が「ない」と答えます。

やってみて挫折したわけではなく、やったこともないという方ばかりなのです。

私は「1冊1分で本を読む方法」を2007年から伝授していますが、受講者は1000人以上で、挫折者はゼロです。

誰でもできる方法があるにもかかわらず「どうせ無理だろう」「1冊1分なんて、できるはずがない」と、最初からあきらめている方がほとんどです。

瞬間記憶も、3ヵ月はトレーニングが必要です。

1冊1分も、6ヵ月はトレーニングが必要であるという、ただそれだけなのです。

勉強法その37

やってはいけない！

1ページ1秒でめくっていくのがすごいと思っている

これで天才に！

見開き2ページを0・5秒でめくっていくのが当たり前だ

「1冊1分ということは、1ページ1秒なんですね」と言う人がいます。

200ページの本だとして、1ページ1秒だと、200秒なので3分20秒かかってしまいます。

「見開き2ページを1秒で処理していくんですね」と言う人もいるのですが、見開き2ページで1秒だと、100秒なので、1分40秒かかってしまいます。

見開き2ページを0・5秒でめくる。

これだと50秒なので、1分以内に1冊を読み終えることができる計算になります。

見開き0・5秒のスピードで、1冊1分で本を読む技術のことを私は「ワンミニッツ・リーディング」と名付けています。

「ワンミニッツ・リーディングは、見開き1秒なんですよね？」

「いいえ、違います。見開き0・5秒です」

「見開き1秒も0・5秒も、たいして変わらないじゃないですか！」

というやりとりを、ワンミニッツ・リーディングができない方とすることが多いのですが、見開き1秒と0・5秒では天と地ほどの開きがあります。

50歳で寿命が尽きるか100歳まで生きるのかというのと、同じくらいの違いです。

1冊を読むのにかかる時間が、2倍違うからです。

1冊だと、さほど差がつかないかもしれませんが、100冊、1000冊本を読んだら、およそ100分、1000分の違いになります。

見開き0・5秒のスピードでページをめくっていくことが、ワンミニッツ・リーディングなのです。

やってはいけない！　脳内音読をする

これで天才に！　ページをめくる作業に集中する

本を読むのが遅い方の特徴は、「脳内音読」をしていることです。

脳のなかで音読をしながら本を読んでしまったら、必然的に読書スピードは遅くなります。

脳内音読をして、

「あれ？　どこまで読んだっけ？」

と忘れてしまい、また最初から読み直すという体験をした方は多いはずです。

脳内音読の悪習慣をなくすためには、ページをめくることに集中することです。

見開き2ページを0・5秒でめくっていたら、脳内音読をしている余裕などなくなります。

つまり、余裕があるから、脳内音読をしてしまうのです。


脳の情報処理スピードは、ページをめくる速度に比例します。

ページをめくるスピードが遅い人は、脳の回転数も遅いです。

見開き2ページを0・5秒でめくる習慣がつけば、脳の回転数も追いついてきます。

じつは脳は、慣れれば簡単に見開き0・5秒で情報を処理することができます。


私は「6ヵ月間、見開き0・5秒以外のスピードでページをめくってはならない」という宿題を生徒に課しているのですが、そうすると情報処理スピードが速いのが当たり前になります。

では何が難しいのか。

それは「めくる作業」です。

ワンミニッツ・リーディングは、読書術というよりも「ページめくり術」です。

見開き2ページを0・5秒でめくれるようになると、自動的に脳の情報処理スピードが追いついてくるというイメージです。

「脳の回転数が高い人が、情報処理スピードが速い人」なのではありません。

「ページを速くめくれる人が、情報処理スピードが速い人」というのが正しいのです。

ワンミニッツ・リーディングのやり方

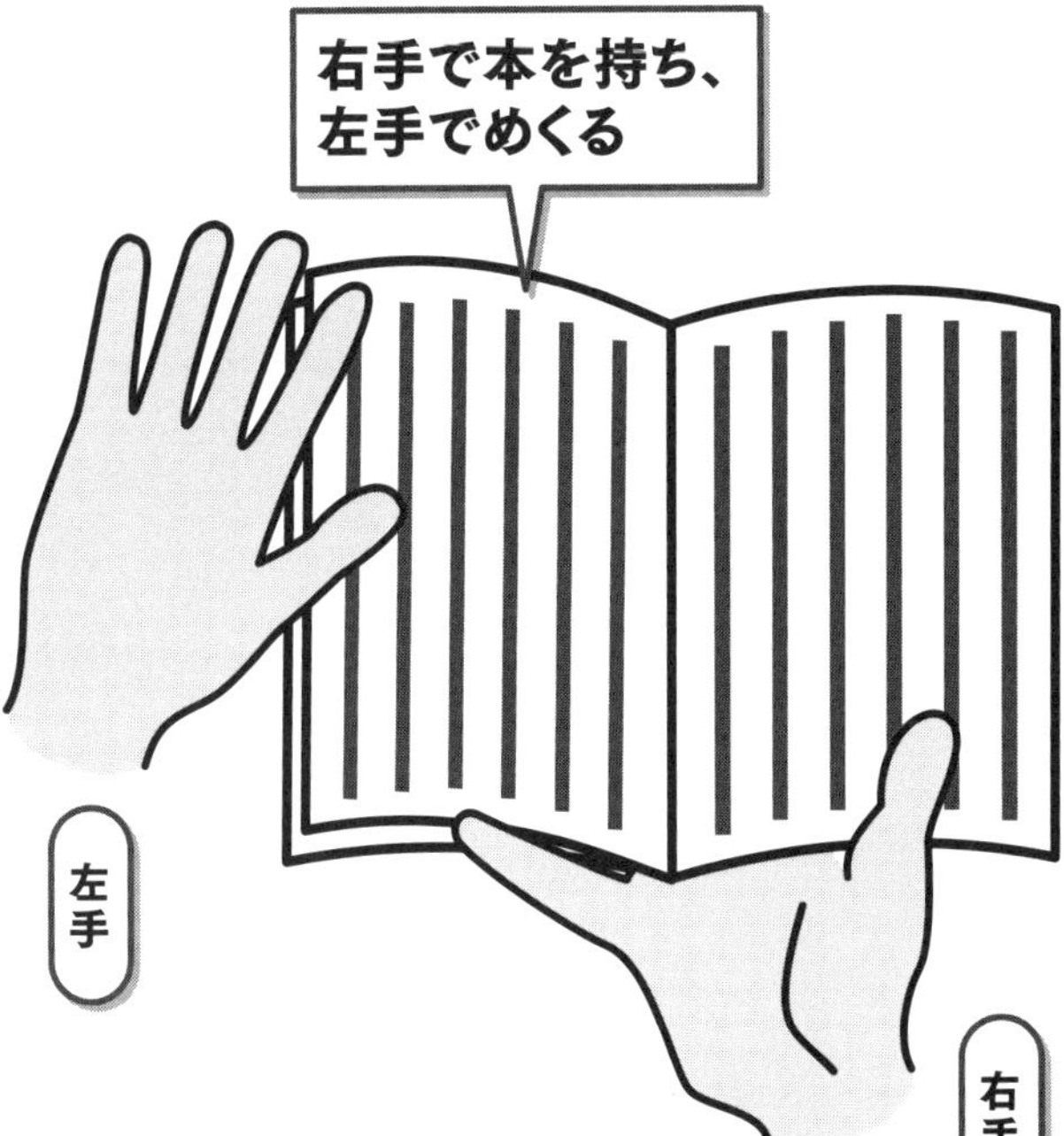

見開き2ページを0.5秒でめくれば、
1冊1分で読める！
（200ページで1分間）

「速読をしています」と言って、講師の方が激しく眼球運動をしている動画を見たことがある方もいるでしょう。

ワンミニッツ・リーディングでは眼球運動はしません。眼球運動をしたら、目を動かして一言一句文字を追っている時間がもったいないですし、目も疲れます。

「4時間の勉強時間で、4時間眼球運動をし続けろ」と言われたら、目が疲れて勉強にならないはずです。

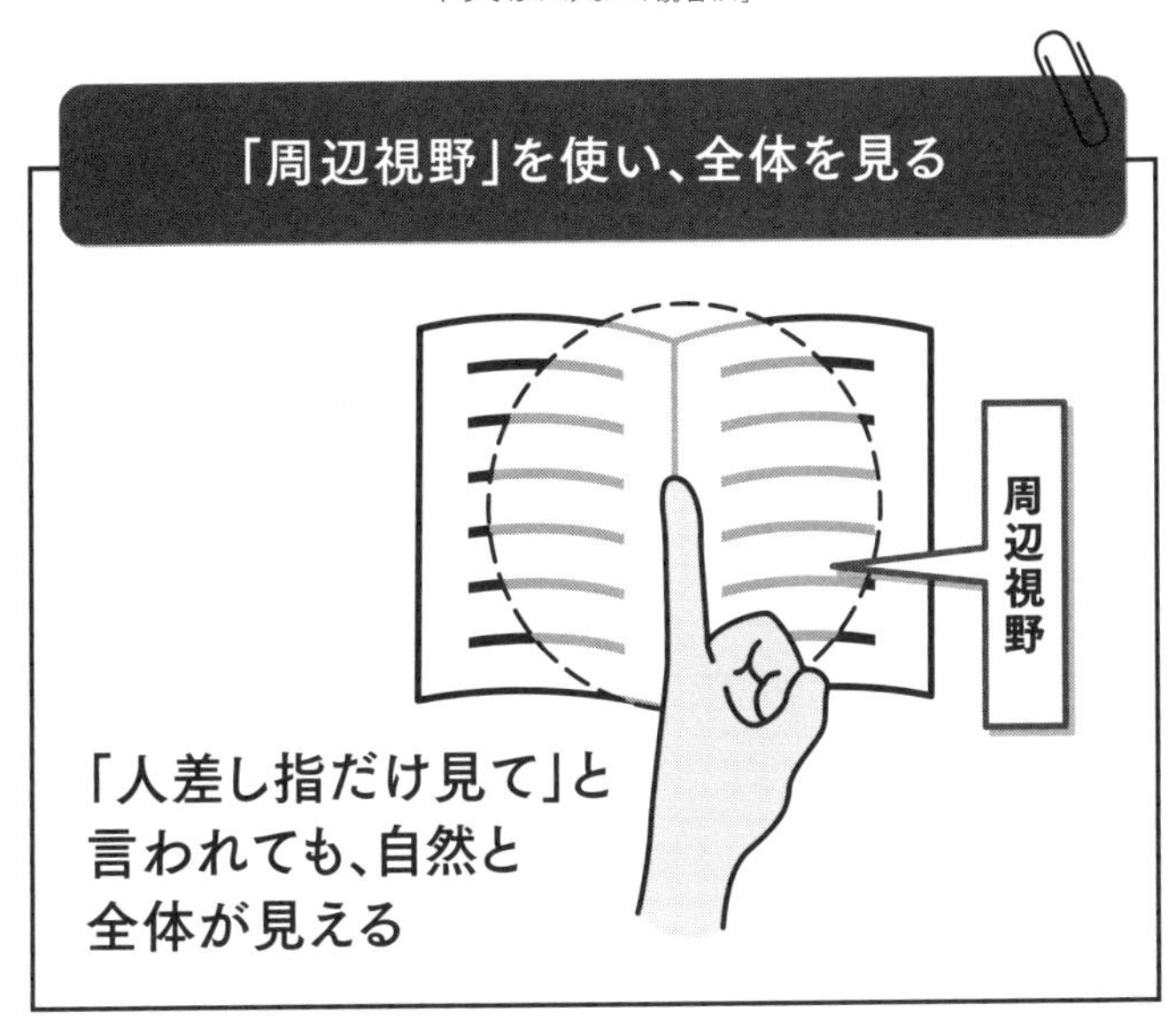

眼球運動をするのではなく、周辺視野を使う。 これがワンミニッツ・リーディングのときの視野に対する考え方です。

周辺視野というのは、1つのものを見ていたら、ほかのものも目に入ってしまうというものです。

「上の図で人差し指だけ見てください」と言われても、全体が目に入ってしまうはずです。

それが周辺視野です。

見開き2ページを0・5秒で、右手で本を持って、左手でページをめくるのがワンミニッツ・リーディングです。

左手でものすごいスピードでページをめくるので、手を見ようと思ったら、周辺視野で見開き2ページが丸々見えてしまう。

結果的に、瞬間記憶として内容が頭に入ってくる。

それが、ワンミニッツ・リーディングです。

周辺視野を使えば、何時間も目が疲れることなく、最速で情報処理ができるのです。

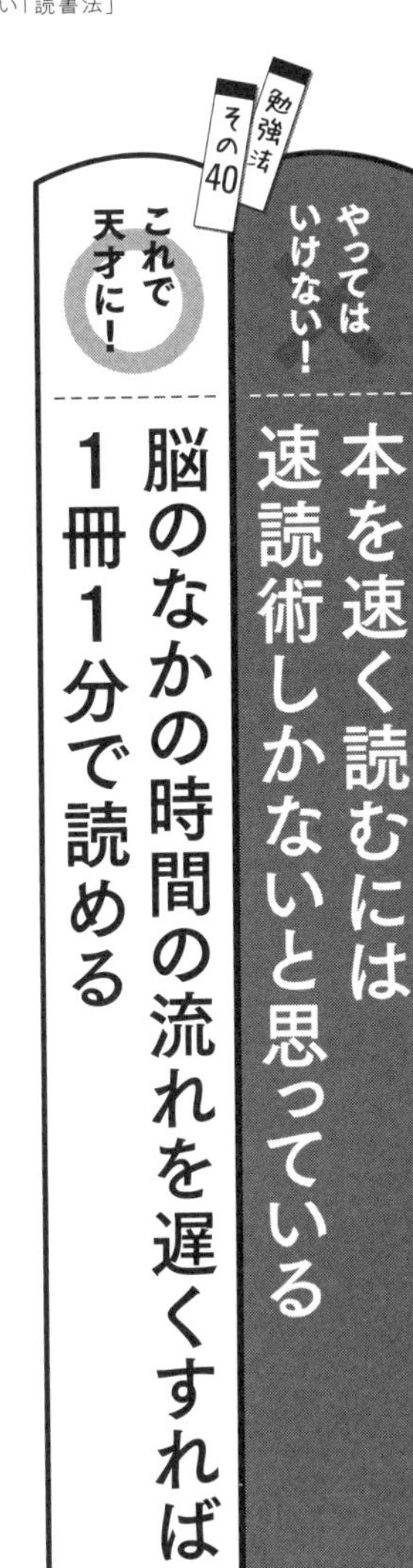

「1冊1分で本が読める講座を開催しています」と言うと「それって速読ですか？」と、もう200回以上聞かれました**（正直、うんざりするくらい聞かれるので、最近は『もう面倒くさいから、速読ってことでいいですよ』と答えて、ごまかしているくらいです）。**

実際は、1冊1分に速読のスキルは使っていません。

では、何をしているのか。

「脳内における体感時間を遅くしている」というのが正解です。

「美人の隣に座っていると、1時間が1分に感じる。熱いストーブの上に腰掛けたら、1分が1時間に感じる。これが相対性理論です」（アルバート・アインシュタイン）

という言葉があります。

快楽の時間は一瞬で過ぎ去り、苦痛の時間は永遠に感じるというのが体感時間です。

「勉強は楽しいです。あっという間に時間が過ぎます」という人を目指すのではありません。

「つらい。なかなか時間が過ぎていかない」という状態を目指すのです。

普通の考えでは「好きこそものの上手なれです。勉強を好きになりましょうね」と言うはずです。

ですが、そうなると1時間の勉強時間を1分に感じてしまうリスクがあります。

それよりも、脳内における体感時間を遅らせたほうが、同じ1時間の勉強時間でも60時間分の勉強時間に感じるので、効率が上がるのです。

勉強法 その41

やってはいけない！

勉強を好きになったほうが、成績が上がる

これで天才に！

ページをめくるときにイライラするだけで成績が上がる

「勉強が好きになれば成績は上がる。私は勉強が嫌いだから成績が上がらないのであって、勉強が好きになれば成績も上がるはずだ」と考えている人がいます。

もちろん、勉強が嫌いだとまったく勉強をしなくなってしまうので、勉強嫌いはよくありません。

ですが、**必要以上に勉強が大好きになってしまうと「大好きな勉強していると、時間が一瞬で過ぎ去ってしまい、『時間が足りない……』と焦る原因になる」というデメリットがあります。**

「わかったぞ。勉強は嫌いだ。苦痛だと思えば時間が長く感じるんだ」と思った方もいるかもしれません。

ですが、勉強に対して苦手意識を持ってしまったら、それはそれで成績が上がりません。

では、どうしたらいいのでしょうか。

「ページをめくるのは大変だ。苦痛だ。なかなか1分が終わらない」と、「ページをめくること」に対して、ネガティブな感情を芽生えさせるのです。

そうすれば、勉強は苦手ではなく、ページをめくることに対する苦手意識を使って、体感時間を遅らせることができます。

イライラの感情を使って、1分を1時間に感じることができれば、あなたの「勉強時間が足りない」という悩みはなくなるのです。

勉強法 その42

やってはいけない！

精読をすることが素晴らしいと思っている

これで天才に！

精読かつ、多読がいいに決まっていると思っている

「本はじっくり読むものだ」という精読の信者の方は、とても多いです。

それならば、精読かつ多読のほうがいいに決まっています。

我々は1冊1分で本を読んでいますが、ページをめくることに対して、イライラの感情を持ちながらめくっているので、**体感時間を1時間にしながら、1冊1分で読むことができるようになっています。**

ほかの人から見たら「1冊1分なんて、とんでもなく速いスピードだ」と思われます。ですが、1冊1分で本を読んでいる張本人からしたら、1分を1時間に感じなが

ら、本を読んでいるというだけです。

1冊1分のときの絶対時間は1分だが、相対時間は1時間である。

これが、ワンミニッツ・リーディングをしているときの感覚です。

「1冊1分では、内容がわからないのではないか。内容がわからなければ意味がないぞ」と言う人がいるのですが、体感時間は1時間なのですから、感じ方としては精読しているのと同じです。

「1冊1分は、飛ばし読みなのではないか」と言う人もいるのですが、まったく違います。**めくる作業をすることにより、体感時間を長く感じさせているだけ**というのが正解です。精読か？ 多読か？ という二者択一は、凡人の発想です。

天才は、精読かつ多読がいいに決まっていると考えています。

ワンミニッツ・リーディングを使えば、精読かつ多読が当たり前になるのです。

勉強法 その43

やってはいけない！

内容を忘れないように、本を読まなければいけない

これで天才に！

内容を忘れようとして、本を読まなければいけない

「本を読んでも、すぐに内容を忘れてしまう。せっかく読んだのだから、本の内容を忘れないようにしたい」と言う人がいます。

読書に対するアプローチがまったく間違っています。

そうではなく「どんどん忘れよう」と思って、ページをめくっていくのが正しい本の読み方です。

成績が悪い人は、覚えよう、覚えようとして、失敗して、覚えられないという現実が待っています。

どうせ失敗するのであれば、忘れることに失敗すればいいのです。

本を読むときには「ページをめくった瞬間に、いままでのページの内容は忘れよう」と思って、見開き2ページ0・5秒のスピードで最後まで読み進めます。

忘れようとすると、忘れることを失敗して、結果的に覚えているという現実が手に入るわけです。

「百人一首で難しいのは、忘れることだ」と言われます。

札の配置を覚えるのは簡単。1時間後の次の対局のときまでに、札の配置を忘れるのが大変だというわけです。

一回戦の対局で「からくれないに　みずくくるとは」の札が、左手前にあったとします。二回戦の対局で「ちはやふる」という上の句が読まれたときに、左手前の札を叩いてしまわないかどうかに、気をつけなければいけません。

記憶の天才である百人一首の選手は、「覚えるのは簡単だ。忘れるのが難しい」と思っています。

ならば、あなたも「覚えるのは簡単だ。忘れるのは難しい」と思いながら、勉強をすればいいのです。

本を読むときも、内容を忘れよう、忘れようとして本を読みます。

少しでも「内容が知りたい」と思ったら負けです。

ワンミニッツ・リーディングは、内容を忘れようとしておこなう作業です。

「ワンミニッツ・リーディングで本を読んで、内容は覚えているのですか？」と質問をしてくる人が何百人もいたのですが、この質問をしている時点で、その人は「本を読んで内容を覚えていなければ意味がない。読書は覚えようとしてするものだ」という固定観念に縛られてしまっているので、アウトです。

「ワンミニッツ・リーディングでは、内容を覚えようとしてはいけないんです。内容を覚えることに興味がなくならなければいけないんです」と答えると、こういう人は、がっかりして去っていきます。

覚えたいと思って覚えようとしたら、覚えられるはずがありません。

覚えたいなら、忘れようとする。

これが正解です。

凡人として勉強をするのではなく、天才になって勉強をする。

天才は、凡人とは逆の発想で物事を捉える人たちです。

あなたはいままで自分のことを「覚えられない、記憶力が悪い」と思っていたかもしれません。ですが、それは覚えようとしていたから、覚えられなかっただけです。

忘れようとしながら、英単語帳を見る。

忘れようとしながら、日本史・世界史の教科書を見る。

忘れようとしながら、本を読む。

この作業を3回、9回、21回と繰り返すことによって、天才としての勉強法が当たり前になってくるのです。

おわりに ——

やってはいけない！

瞬間記憶なんてできっこないので、地道に暗記をする

「瞬間記憶のために」と思って、お膳立てをする

勉強の必勝法は、「瞬間記憶」ができるようになることです。

1単語1秒で英単語を覚える訓練をすることで、英単語の知識と同時に瞬間記憶をマスターすれば、勉強に関しては無敵状態になります。

「英単語の暗記をしながら、瞬間記憶を身につける」という作業に、3ヵ月は最低でもかかります。

瞬間記憶のマスターには3ヵ月と言いましたが、3ヵ月でできなかったら才能がな

いというわけではありません。

6ヵ月かかっても大丈夫です（疑い深い人は1～2年、もしくは途中であきらめる可能性が高いかもしれません）。

瞬間記憶のトレーニングで大切なのは「私はできている」と思いながらトレーニングをすることです。

「私なんてバカだ」「私なんてダメだ」「一体私は何をしているんだろう、意味がないことに時間を費やしているなんて」と、ネガティブなことを考えたら、瞬間記憶はできなくなります。

そういう意味では、そもそも物事に対してネガティブな方は、最初から凡人としての勉強法を極めたほうが早いでしょう。

1～2年かかってできるようになったらまだいいですが、3年経過してもできるようにならない可能性もあるからです。

「瞬間記憶は誰でもできますか？」と言われたら「誰でもできます。ただし性格がネガティブな方にはできません」と答えています。

いつもポジティブで、明るい気持ちで心を満たすことで「できている」と感じるのが「瞬間記憶」だからです。


この本を読んで「インチキだ。瞬間記憶なんて、できっこない」と感じた方は、残念ですが挑戦さえしないほうがいいでしょう。

挑戦している最中に「どうせインチキなんだ。嘘なんだ」と思いながらトレーニングをしたら、その感情がインストールされてしまい本当にできなくなるからです。

「よし、楽しそうだな！　瞬間記憶をマスターするために石井貴士の『1分間英単語1600』を買ってくるぞ」という明るい性格の方は、きっとうまくいくはずです。


勉強法のファイナルアンサー。

それは「瞬間記憶」です。

やるか、やらないかは、あなたが決めて構いません。

天才に生まれ変わってから、勉強を始めるのか。
凡人のまま、いきなり勉強を始めるのか。

あなたはいま、どちらの人生も選ぶことができるのです。

石井貴士

【特別巻末特典】無料21日間LINE講座
「人生が変わるスィートスポット理論」を
プレゼント！

詳細はQRコードより↓

石井貴士の主な著作一覧

KADOKAWA

『本当に頭がよくなる1分間勉強法』
『本当に頭がよくなる1分間勉強法』文庫版
『[カラー版]本当に頭がよくなる1分間勉強法』
『[図解]本当に頭がよくなる1分間勉強法』
『本当に頭がよくなる1分間英語勉強法』
『1分間英単語1600』
『CD付1分間英単語1600』
『1分間英熟語1400』
『CD2枚付1分間TOEICテスト®英単語』
『CD付1分間東大英単語1200』
『CD付1分間早稲田英単語1200』
『CD付1分間慶應英単語1200』
『CD付1分間英会話360』
『成功する人が持っている7つの力』
『あなたの能力をもっと引き出す1分間集中法』
『文才がある人に生まれ変わる1分間文章術』

講談社

『キンドル・アンリミテッドの衝撃』

秀和システム

『アナカツっ!〜女子アナ就職カツドウ〜』
『1分間情報収集法』
『いつでもどこでも「すぐやる人」になれる1分間やる気回復術』
『会社をやめると、道はひらく』
『定時に帰って最高の結果を出す1分間仕事術』
『あなたも「人気講師」になれる! 1分間セミナー講師デビュー法』

『女子アナに内定する技術』
『彼氏ができる人の話し方の秘密』

水王舎
『1分間英文法600』
『1分間高校受験英単語1200』
『1分間日本史1200』
『1分間世界史1200』
『1分間古文単語240』
『1分間古典文法180』
『1分間数学Ⅰ・A180』
『新課程対応版　1分間数学Ⅰ・A180』

フォレスト出版
『1分間速読法』
『人は誰でも候補者になれる!〜政党から公認をもらって国会議員に立候補する方法』

『あなたの時間はもっと増える!　1分間時間術』

SBクリエイティブ
『本当に頭がよくなる1分間記憶法』
『本当に頭がよくなる1分間ノート術』
『一瞬で人生が変わる!　1分間決断法』
『本当に頭がよくなる1分間読書法』
『どんな相手でも会話に困らない1分間雑談法』
『本当に頭がよくなる1分間アイデア法』
『図解　本当に頭がよくなる1分間勉強法』

学研プラス
『1分間で一生が変わる　賢人の言葉』
『幸せなプチリタイヤという生き方』

宝島社
『入社1年目の1分間復活法』

パブラボ
『お金持ちになる方法を学ぶ
1分間金言葉集60』
『石井貴士の1分間易入門』
『はじめての易タロット』

サンマーク出版
『勉強のススメ』

PHP研究所
『会社は絶対、やめていい！』
『90日で彼氏ができる！　カレデキ』
『あなただから、憧れの女子アナになれる』

徳間書店
『30日で億万長者になる方法』

実業之日本社
『オキテ破りの就職活動』
『就職内定勉強法』

ゴマブックス
『何もしないで月50万円！
幸せにプチリタイヤする方法』
『マンガ版　何もしないで月50万円！
幸せにプチリタイヤする方法』
『何もしないで月50万円！
なぜあの人はプチリタイヤできているのか？』
『プチリタイヤ　夢リスト』
『図解　何もしないで月50万円！
幸せにプチリタイヤする方法』
『何もしないで月50万円！
幸せにプチリタイヤするための手帳術』

ヒカルランド
『あなたが幸せになれば、世界が幸せになる』

ヨシモトブックス

『本当に頭がよくなる1分間勉強法 高校受験編』

『本当に頭がよくなる1分間勉強法 大学受験編』

『勝てる場所を見つけ勝ち続ける 1分間ブランディング』

リンダパブリッシャーズ

『マンガでわかる1分間勉強法』

きずな出版

『イヤなことを1分間で忘れる技術』

『「人前が苦手」が1分間でなくなる技術』

『やってはいけない勉強法』

『図解 やってはいけない勉強法』

『やってはいけない英語勉強法』

『やってはいけない暗記術』

『マンガでわかりやすい やってはいけない勉強法』

『やってはいけない読書術』

『【ビジュアル完全版】やってはいけない勉強法』

『【新図解】やってはいけない勉強法』

『パッと見て1秒で覚える 瞬間記憶勉強法』

すばる舎

『入社1年目から差がついていた! 仕事ができる人の「集中」する習慣とコツ』

青春出版社

『最小の努力で最大の結果が出る 1分間小論文』

かんき出版

『天職を見つけてお金持ちになる1億円勉強法』

著者プロフィール

石井貴士　（いしい・たかし）

株式会社ココロ・シンデレラ代表取締役・作家
1973年生まれ。私立海城高校卒。高校2年のときに、「1秒で目で見て、繰り返し復習すること」こそ、勉強の必勝法だと悟る。そして、「1単語1秒」で記憶するためのノートを自作して、実践した結果、たったの3カ月で、英語の偏差値を30台から70台へ上昇させることに成功。その結果、「代々木ゼミナール模試・全国1位（6万人中1位）」「Z会慶応大学模試・全国1位」を獲得し、慶應義塾大学経済学部に合格。
また、大学入学後には、ほとんど人と話したことがないという状態から、テレビ局のアナウンサー試験に合格。アナウンサー在職中に、突然、「無職からスタートしてビッグになったら、多くの人を勇気づけられるはず！」と思い立ち、本当に退職して局アナ→無職に。その後、世界一周旅行に出発し、27カ国を旅する。帰国後、日本メンタルヘルス協会で「心理カウンセラー資格」を取得。2003年に株式会社ココロ・シンデレラを起業。2005年以降17年間、「あなたのスィートスポットが見つかる SFT講座」を主宰し、同時に作家活動も展開。累計92冊。230万部を突破するベストセラー作家になっている。主な著作に、『本当に頭がよくなる1分間勉強法』『CD付1分間英単語1600』（以上、中経出版/KADOKAWA）、『やってはいけない勉強法』『パッと見て1秒で覚える 瞬間記憶勉強法』（きずな出版）などがある。

石井貴士公式サイト
https://www.kokorocinderella.com

Kizuna Pocket Edition
やってはいけない勉強法

2023年4月30日　新装版第1刷発行

著　者　　石井貴士

発行者　　櫻井秀勲
発行所　　きずな出版
東京都新宿区白銀町1-13　〒162-0816
電話03-3260-0391　振替00160-2-633551
https://www.kizuna-pub.jp/

装　丁　　福田和雄（FUKUDA DESIGN）
本文デザイン　池上幸一
印刷・製本　モリモト印刷

ISBN978-4-86663-209-4

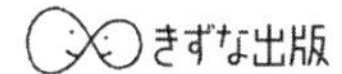